DOWÓD

Eben Alexander

# DOWÓD

## Prawdziwa historia neurochirurga, który przekroczył granicę śmierci i odkrył niebo

tłumaczenie Rafał Śmietana

Kraków 2013

Tytuł oryginału
*Proof of Heaven. A neurosurgeon's journey into the afterlife*



Projekt okładki
Magda Kuc

Opieka redakcyjna
Ewa Bolińska-Gostkowska
Julita Cisowska
Przemysław Pełka

Konsultacja tłumaczenia
Jacek Kołątaj
Mariusz Szerocki

Konsultacja medyczna
prof. dr hab. Jerzy Wordliczek

Adiustacja
Julita Cisowska

Korekta
Barbara Gąsiorowska

Projekt typograficzny
Irena Jagocha
Daniel Malak

Łamanie
Piotr Poniedziałek

ISBN 978-83-240-2373-8

Książki z dobrej strony: www.znak.com.pl
Społeczny Instytut Wydawniczy Znak, 30-105 Kraków, ul. Kościuszki 37
Dział sprzedaży: tel. 12 61 99 569, e-mail: czytelnicy@znak.com.pl
Wydanie I, Kraków 2013
Druk: Drukarnia Abedik S.A., Poznań

*Książkę tę dedykuję*
*z bezgraniczną wdzięcznością*
*swojej ukochanej rodzinie.*

# PROLOG

*„Człowiek powinien poszukiwać tego,*
*co jest, a nie tego, co jego zdaniem powinno być".*
Albert Einstein (1879–1955)

Gdy byłem dzieckiem, często marzyłem o lataniu.

Wieczorami wychodziłem do ogrodu i spoglądałem w gwiazdy. Nagle, zupełnie niespodziewanie unosiłem się w górę. Pierwszych kilka centymetrów pokonywałem automatycznie. Wkrótce zauważyłem, że im wyżej się wznosiłem, tym bardziej dalsze postępy zależały ode mnie – od tego, co zrobiłem. Gdy byłem zbyt podekscytowany, zbyt rozemocjonowany swoimi przeżyciami, spadałem z powrotem na ziemię... i nie były to miękkie lądowania. Lecz gdy zachowywałem spokój, nie przejmowałem się niczym, wtedy wzlatywałem coraz szybciej i coraz wyżej w rozgwieżdżone niebo.

Być może właśnie te marzenia częściowo wyjaśniają, dlaczego tak bardzo pokochałem samoloty, rakiety i wszystko, co mogłoby wynieść mnie nad ziemię do innego świata. Kiedy wraz z rodziną wybieraliśmy się w podróż samolotem, od startu do lądowania nie spuszczałem oka z tego, co działo się za oknem. Latem 1968 roku, w wieku czternastu lat, wszystkie pieniądze zarobione podczas koszenia trawników wydałem na kurs szybowcowy. Lekcji udzielał mi niejaki Gus Street na lotnisku w Strawberry Hill. Tak naprawdę było to niewielkie trawiaste lądowisko położone na zachód od mojego rodzinnego miasta Winston-Salem w Karolinie Północnej. Nadal pamiętam, jak mocno waliło mi serce, gdy pociągałem za dźwignię z dużą wiśniową gałką, odczepiałem linę łączącą mnie z samolotem, kładłem szybowiec na skrzydło i wracałem ku lądowisku. Po raz pierwszy w życiu czułem się wtedy naprawdę samotny i wolny. Większość moich kolegów przeżywała podobne uczucia za kierownicą samochodu, lecz ja za te pieniądze sto razy bardziej wolałem przeżywać dreszcz prawdziwych emocji w kokpicie szybowca na wysokości ponad trzystu metrów nad ziemią.

W latach siedemdziesiątych XX wieku wstąpiłem do zespołu akrobacji spadochronowej działającego przy Uniwersytecie Karoliny Północnej. Miałem poczucie, że stałem się członkiem tajnego bractwa – grupy ludzi, którzy robili coś wyjątkowego, ocierającego się o magię. Podczas pierwszego skoku czułem przerażenie. Podczas drugiego, jeżeli to możliwe, bałem się jeszcze bardziej. Lecz gdy za dwunastym razem wyskakiwałem z samolotu i spadałem swobodnie przez ponad trzysta metrów (było to mój pierwszy skok z opóźnionym o dziesięć sekund otwarciem spadochronu), wiedziałem, że jestem w domu. Jako student wykonałem 365 skoków ze spadochronem, podczas których spędziłem łącznie ponad trzy i pół godziny, swobodnie spadając, przeważnie w formacjach liczących do dwudziestu pięciu współskoczków. Chociaż przestałem skakać w 1976 roku, powietrzne akrobacje nadal powracały do mnie we snach. Zawsze kojarzyły mi się z czymś bardzo przyjemnym.

Najbardziej lubiłem skakać późnym popołudniem, gdy słońce zaczynało znikać za horyzontem. Trudno opisać uczucia, jakich wtedy doznawałem: uczucie bliskości czegoś, czego nie potrafiłem precyzyjnie określić, wiedziałem tylko, że pragnę tego coraz bardziej i bardziej. Nie chodziło mi o samotność, gdyż akrobacje wymagały współpracy całego zespołu. Skakało nas pięciu, sześciu, a niekiedy nawet dziesięciu lub dwunastu jednocześnie. Spadając swobodnie, wykonywaliśmy w powietrzu ewolucje i łączyliśmy się w najróżniejsze formacje. Im większe i im trudniejsze, tym lepiej.

W 1975 roku pewnej pięknej jesiennej soboty wraz z kolegami z zespołu umówiliśmy się na ćwiczenia chwytów i formacji w ośrodku skoków we wschodniej Karolinie Północnej. Podczas przedostatniego skoku z beechcrafta D18 z wysokości 3200 metrów wykonaliśmy płatek śniegu złożony z dziesięciu osób. Udało nam się zakończyć budowanie figury przed zejściem na poziom 2100 metrów. Dzięki temu połączeni w formację rozkoszowaliśmy się pełnymi osiemnastoma sekundami lotu w świetlistą otchłań między dwoma dużymi cumulusami. Na wysokości niewiele ponad kilometra nad ziemią rozłączyliśmy się, starając się odlecieć jak najdalej od kolegów przed otwarciem spadochronów.

Zanim wylądowaliśmy, słońce prawie zaszło. Ale szybko złożyliśmy sprzęt, zdążyliśmy wsiąść do kolejnego samolotu i znów wystartowaliśmy, co umożliwiło nam wykonanie drugiego skoku w ostatnich promieniach zachodzącego słońca. Tym razem lecieli z nami dwaj mniej doświadczeni członkowie zespołu, którzy po raz pierwszy mieli dołączyć do formacji z zewnątrz. Zadanie to jest znacznie trudniejsze niż pełnienie funkcji tak zwanej bazy, czyli skoczka rozpoczynającego tworzenie figury (która polega zasadniczo na spadaniu w dół, podczas gdy inni manewrują ku niemu). Wszyscy ekscytowaliśmy się myślą o tym skoku. Młodsi członkowie zespołu z oczywistych względów, a my, bardziej doświadczeni, dlatego, że rozbudowując zespół, mogliśmy tworzyć coraz większe formacje.

Miałem skakać jako ostatni. Nad pasem startowym niewielkiego lotniska w pobliżu Roanoke Rapids w Karolinie Północnej chcieliśmy utworzyć sześcioosobową gwiazdę. Bezpośrednio przede mną do wyjścia z maszyny przygotowywał się Chuck, kolega ze sporym doświadczeniem w wykonywaniu akrobacji zespołowych. Na wysokości 2300 metrów oświetlały nas jeszcze promienie słońca, a pod nami mrugały już włączone latarnie uliczne. Skoki w półmroku były zawsze wyjątkowe. Tym razem też miało być wspaniale.

Mimo że miałem opuścić samolot zaledwie około sekundę po Chucku, musiałem się spieszyć, by dołączyć do wszystkich. Mniej więcej przez pierwsze siedem sekund miałem lecieć prosto ku ziemi z głową w dół. Dzięki takiemu ułożeniu ciała spadałem z prędkością o 160 kilometrów na godzinę większą niż koledzy i mogłem dołączyć do grupy na właściwej wysokości w odpowiednim miejscu formacji.

Procedura wykonywania akrobacji zespołowych przewiduje, że wszyscy skoczkowie rozłączają się na wysokości niewiele ponad kilometra nad ziemią, a następnie rozpraszają się możliwie jak najdalej od siebie. W bezpiecznej odległości machamy rękami (sygnalizując, że za chwilę otworzymy spadochron), spoglądamy w górę, żeby się upewnić, czy nikogo nad nami nie ma, a na koniec pociągamy za linkę wyzwalającą.

– Trzy, dwa, jeden... otwieram!

Pierwsza czwórka skoczyła. Przyszła kolej na Chucka i na mnie. Nurkując głową w dół, szybko osiągnąłem prędkość graniczną. Uśmiechnąłem się na widok oglądanego po raz kolejny tego dnia zachodu słońca. Po dotarciu do reszty grupy miałem zamiar ostro zahamować, rozpościerając szeroko ręce (od nadgarstków do bioder mieliśmy wszyte do kombinezonów specjalne skrzydła z wytrzymałej tkaniny, które stawiały bardzo duży opór aeordynamiczny) i nogi, żeby zwiększyć siłę nośną.

A przynajmniej taki był plan, którego jednak nie było mi dane zrealizować.

Szybując ku figurze, zauważyłem jednego z nowych. Leciał zbyt szybko. Chyba przestraszył się prędkości, z jaką minął pobliskie chmury. Pewnie zorientował się, że w tempie sześćdziesięciu metrów na sekundę spada ku olbrzymiej planecie pogrążającej się w mroku, i na chwilę stracił głowę. Zamiast powoli dołączyć do skraju figury, wpadł w sam jej środek i rozbił całą formację. Sytuacja wymknęła się spod kontroli. Cała piątka, zamiast szybować, zaczęła spadać w niekontrolowany sposób.

Co gorsza, znajdowaliśmy się zdecydowanie za blisko siebie. Spadający skoczek pozostawia za sobą smugę ogromnego podciśnienia. Jeżeli w te bardzo silne turbulencje wpadnie kolejny, natychmiast przyśpiesza, co może doprowadzić do kolizji z lecącą przed nim osobą. Obaj przyspieszają jeszcze bardziej i taranują wszystkich lecących poniżej. Krótko mówiąc, to przepis na katastrofę w przestworzach.

Wygiąłem ciało, rozłożyłem ręce i poszybowałem możliwie najdalej od reszty grupy, by nie powiększać bałaganu. Manewrowałem, dopóki nie znalazłem się dokładnie nad krążkiem – magicznym miejscem na ziemi, nad którym mieliśmy otworzyć spadochrony i delektować się spokojnym dwuminutowym opadaniem.

Rozejrzałem się dookoła i z ulgą zauważyłem, że początkowo zdezorientowani skoczkowie również oddalali się od siebie, zażegnując śmiertelne niebezpieczeństwo.

Wśród nich znajdował się Chuck. Ku mojemu zdumieniu, leciał w moją stronę i zatrzymał się bezpośrednio poniżej. Z powodu całego zamieszania do granicy 610 metrów dotarliśmy z większą prędkością, niż się spodziewał. Może pomyślał, że miał szczęście i nie musiał przestrzegać zasad? W każdym razie zbyt ściśle.

Nie zauważył mnie. Myśl ta ledwo zdążyła przyjść mi do głowy, gdy z pokrowca Chucka wykwitł kolorowy pilocik (spadochron wyciągający). Natychmiast porwał go podmuch powietrza pędzącego z prędkością niemal 200 kilometrów na godzinę. Wystrzelił prosto ku mnie, ciągnąc za sobą czaszę spadochronu głównego.

Od chwili gdy zobaczyłem pilocik, miałem ułamek sekundy na reakcję, gdyż wiedziałem, że za niecałą sekundę wpadnę na spadochron główny oraz – co całkiem prawdopodobne – na Chucka. Gdybym pędząc z tak zawrotną prędkością, trafił go w rękę lub w nogę, urwałbym mu ją, przy okazji zadając sobie śmiertelny cios. Gdybym się z nim zderzył, oba nasze ciała by eksplodowały.

Ludzie mówią, że w podobnych sytuacjach czas zwalnia bieg. Mają rację. Wydarzenia, które rozegrały się w ciągu kolejnych mikrosekund, oglądałem jak film w zwolnionym tempie.

W chwili gdy dostrzegłem pilocik, odruchowo przyciągnąłem ręce do siebie, wyprostowałem się i zanurkowałem głową do przodu, jednocześnie zginając się nieznacznie w biodrach. Takie ułożenie ciała sprawiło, że najpierw przyspieszyłem, a potem pęd powietrza uniósł mnie w bok. Moje ciało zmieniło się w skrzydło. Z ogromną prędkością minąłem Chucka tuż przed wypełniającą się powietrzem barwną czaszą spadochronu typu Para-Commander.

Minąłem go, pędząc z prędkością ponad 240 kilometrów na godzinę lub prawie 67 metrów na sekundę, dlatego bardzo wątpię, czy dostrzegł wyraz mojej twarzy. Lecz gdyby nawet mu się to udało, zobaczyłby malujące się na niej zdumienie w najczystszej postaci. W niewytłumaczalny sposób w ciągu mikrosekund zareagowałem na sytuację, która przekraczałaby moje zdolności poznawcze, gdybym faktycznie miał czas na zastanowienie.

Mimo to... Udało mi się uniknąć kolizji i obaj wylądowaliśmy bezpiecznie. Zupełnie jakby w obliczu sytuacji stawiającej mojemu mózgowi znacznie większe wymagania niż zwykle przełączył się on na chwilę w tryb turbodoładowany.

Jak to się stało? W ciągu ponad dwudziestu lat pracy jako neurochirurg w szpitalach uniwersyteckich – badając mózg, przyglądając się jego funkcjonowaniu i operując – miałem wiele okazji do zastanowienia się nad tym pytaniem. Wreszcie doszedłem do wniosku, że mózg jest naprawdę nadzwyczajnym urządzeniem, bardziej nadzwyczajnym, niż moglibyśmy przypuszczać.

Dopiero teraz wiem, gdzie szukać prawdziwej odpowiedzi na tamto pytanie. Musiałem jednak przejść zupełną metamorfozę, by choć na chwilę ją dostrzec. Książka ta opowiada o wydarzeniach, które wpłynęły na zmianę moich poglądów w tej dziedzinie. Dzięki nim wiem, że mimo iż mózg jest tak wspaniałym mechanizmem, to nie on uratował mnie tamtego dnia. W chwili gdy Chuck otworzył pode mną swój spadochron, wkroczyła do akcji zupełnie inna, o wiele głębsza część mnie. Część, która potrafiła działać bardzo szybko, ponieważ nie była związana ograniczeniami czasu tak jak nasze ciała i mózgi.

To ta sama część mnie, która sprawiła, że jako dziecko tak bardzo tęskniłem za lataniem. To nie tylko najmądrzejsza, lecz także najgłębsza część mojej osobowości. A ja przez większą część swojego dorosłego życia nie potrafiłem uwierzyć w jej istnienie.

Ale teraz wierzę i na kolejnych stronach tej książki opowiem wam dlaczego.

Jestem neurochirurgiem.

W 1976 roku ukończyłem chemię na Uniwersytecie Karoliny Północnej w Chapel Hill, a cztery lata później uzyskałem dyplom lekarza medycyny na wydziale lekarskim Uniwersytetu Duke'a. Podczas jedenastu lat studiów oraz rezydentury na tej ostatniej uczelni, jak również w szpitalu ogólnym w Massachusetts i w Harvardzie, szczególnie zainteresowałem się neuroendokrynologią, czyli badaniem wzajemnych związków między układami nerwowym i wewnątrzwydzielniczym – systemem gruczołów, które uwalniają hormony regulujące większość czynności naszych organizmów. Dwa spośród tych jedenastu lat spędziłem, badając patologiczne reakcje naczyń krwionośnych w jednym obszarze mózgu na krwawienie pękniętego tętniaka, innymi słowy: zespół chorobowy znany pod nazwą skurczu naczyń mózgowych.

Po powrocie ze stypendium w dziedzinie neurochirurgii naczyniowej mózgu w Newcastle-Upon-Tyne przez piętnaście lat pracowałem na harvardzkim wydziale lekarskim jako profesor nadzwyczajny. Specjalizowałem się w neurochirurgii. Operowałem niezliczonych pacjentów, z których wielu cierpiało na poważne, groźne dla życia choroby mózgu.

Większość prac badawczych poświęciłem wykorzystywaniu najnowszych zdobyczy technicznych do zabiegów operacyjnych. Zalicza się do nich między innymi radiochirurgia stereotaktyczna, która pozwala operatorom precyzyjne kierować potrzebne dawki promieniowania do określonych celów położonych w głębi mózgu bez wpływu na obszary przyległe. Wykonywałem także pionierskie zabiegi neurochirurgiczne z użyciem techniki rezonansu magnetycznego do leczenia skomplikowanych schorzeń mózgu takich jak guzy i zaburzenia naczyniowe.

Samodzielnie lub wraz ze współpracownikami napisałem ponad sto pięćdziesiąt rozdziałów i artykułów do recenzowanych przez specjalistów periodyków medycznych. Wyniki moich prac prezentowałem na ponad dwustu konferencjach medycznych na całym świecie.

Krótko mówiąc, poświęciłem się nauce. Zastosowanie narzędzi, jakimi dysponuje nowoczesna medycyna, do niesienia pomocy ludziom oraz do odkrywania tajemnic ludzkiego ciała i mózgu uznałem za swoje życiowe powołanie. Miałem niesamowite szczęście, że je znalazłem. A co ważniejsze, miałem piękną żonę i dwójkę wspaniałych dzieci. Mimo że pod wieloma względami poświęciłem się pracy, nie zaniedbywałem rodziny, którą uważałem za kolejne wielkie błogosławieństwo w moim życiu. Los uśmiechał się do mnie wiele razy, a ja doskonale zdawałem sobie z tego sprawę.

Jednak 10 listopada 2008 roku wydawało się, że wyczerpałem swój limit szczęścia. W wieku pięćdziesięciu czterech lat zapadłem na bardzo rzadką chorobę, która na siedem dni wprowadziła mnie w stan śpiączki. W tym czasie cała kora nowa mojego mózgu – jego zewnętrzna powierzchnia, która czyni nas ludźmi – przestała działać. Wyłączyła się. Zupełnie jakby nie istniała.

A gdy mózg przestaje działać, nasza tożsamość znika. Jako neurochirurg słyszałem wiele opowieści o dziwnych przeżyciach ludzi – o podróżach do tajemniczych, wspaniałych krain, o rozmowach z dawno zmarłymi krewnymi, a nawet o spotkaniach z Bogiem. Przeżycia te zwykle przytrafiały się pacjentom przywróconym do życia po nagłym zatrzymaniu krążenia.

Wszystkie te historie brzmiały niewątpliwie wspaniale. Uważałem jednak, że wszystkie były tylko i wyłącznie wytworem fantazji. Co wywoływało tego rodzaju nieziemskie doznania, o których opowiadali ci ludzie? Nie wiedziałem, ale byłem przekonany, że pochodziły z mózgu. Cała nasza świadomość ma tam swoje źródło. Innymi słowy, ktoś, kogo mózg nie działa, nie posiada świadomości.

Dzieje się tak dlatego, że mózg to maszyna wytwarzająca świadomość. Gdy przestaje działać, świadomość znika. Mimo ogromnego stopnia komplikacji i tajemniczości procesów toczących się w jego wnętrzu zasadniczo do tego wszystko się sprowadza. Gdy wyciągamy wtyczkę z gniazdka, telewizor przestaje działać. Koniec zabawy, bez względu na to, jak bardzo podobał się wam film.

A przynajmniej coś takiego bym wam powtarzał, gdyby w pewnej chwili mój własny mózg się nie zawiesił.

Nie chcę przez to powiedzieć, że gdy znalazłem się w śpiączce, mój mózg działał źle – bo nie działał w ogóle. Teraz uważam, iż ten stan mógł odpowiadać za głębię oraz intensywność przeżyć z pogranicza śmierci, których doświadczyłem. Wiele spośród opisywanych w książkach podobnych przypadków zdarza się w następstwie nagłego, choćby chwilowego, zatrzymania krążenia. Kora nowa wyłącza się, lecz zwykle nie ulega zbyt poważnym uszkodzeniom, o ile dzięki resuscytacji krążeniowo-oddechowej w ciągu mniej więcej czterech minut zostanie wznowiony dopływ natlenowanej krwi. Lecz w moim przypadku wcale nie chodziło o korę nową. Znalazłem się w innej rzeczywistości, w świecie świadomości istniejącym zupełnie niezależnie od ograniczeń mojego fizycznego mózgu.

To, czego doświadczyłem, można pod pewnymi względami opisać jako istną burzę przeżyć z pogranicza śmierci. Jako praktykujący neurochirurg ze sporym dorobkiem naukowym mogę trochę lepiej niż inni ocenić nie tylko realność, lecz także konsekwencje tego, co mi się przydarzyło.

A konsekwencje te są niesamowite i nie bardzo dają się opisać. Dzięki temu, co przeżyłem, wiem, że śmierć ciała i mózgu nie oznacza końca świadomości, a doświadczenie człowieczeństwa wykracza poza grób. Co ważniejsze, doświadczenie to trwa pod okiem kochającego Boga, któremu zależy na każdym z nas, w miejscu, do którego zmierza cały wszechświat i wszystkie zamieszkujące go istoty.

Miejsce, w którym się znalazłem, było jak najbardziej realne. Realne do tego stopnia, że to raczej życie na ziemi, do którego wróciłem, powinienem uznać za sen. Co wcale nie oznacza, iż nie cenię życia, które jest mi dane tu i teraz.

Cenię je nawet bardziej niż kiedykolwiek wcześniej. Cenię je, ponieważ dopiero teraz dostrzegłem je w prawdziwym kontekście.

Życie doczesne nie jest pozbawione sensu, lecz z naszej perspektywy tego nie widzimy, przynajmniej na co dzień. Opowieść o tym, co przeżyłem podczas śpiączki, uważam bezwzględnie za najważniejsze przesłanie, jakie pozostało mi w życiu do przekazania, chociaż bardzo trudno wyrazić je słowami – tak daleko wykracza poza nasze doznania zmysłowe. Nie mogę tak po prostu tylko rozgłosić go na cały świat. Prezentowane wnioski podbudowuję analizą swoich przeżyć z punktu widzenia medycyny, odwołuję się do najnowszych odkryć nauki o mózgu oraz do badań nad świadomością. Gdy tylko pojąłem prawdę, jaka kryje się za moją podróżą, wiedziałem, że muszę o niej opowiedzieć. Wykonanie tego zadania najlepiej, jak potrafię, stało się głównym celem mojego życia.

Nie oznacza to wcale, że przestałem się interesować medycyną i porzuciłem zawód neurochirurga. Lecz skoro miałem zaszczyt zrozumieć, iż nasze życie nie kończy się wraz ze śmiercią ciała ani mózgu, uznałem za swój obowiązek, za powołanie, opowiedzieć wszystkim o tym, co ujrzałem, przebywając poza ciałem w innym świecie. Bardzo mi zależy na dotarciu zwłaszcza do tych ludzi, którzy wcześniej słyszeli podobne historie, lecz mimo najszczerszych chęci nie mogli dać im pełnej wiary.

Właśnie do nich kieruję słowa i przesłanie zawarte w tej książce. Chcę wam opowiedzieć o najważniejszym doświadczeniu swojego życia. Wszystko, o czym piszę, wydarzyło się naprawdę.

I

# BÓL

## LYNCHBURG, WIRGINIA, 10 LISTOPADA 2008

Nagle otworzyłem oczy. W panującym w sypialni mroku moją uwagę natychmiast przykuły czerwone cyfry elektronicznego budzika stojącego na nocnej szafce. Była czwarta trzydzieści. Zwykle wstawałem godzinę później, a potem ruszałem w siedemdziesięciominutową podróż z mojego domu w Lynchburgu w Wirginii do siedziby Fundacji Chirurgii Nieinwazyjnej w Charlottesville, gdzie pracowałem. Moja żona Holley jeszcze mocno spała.

Dwa lata wcześniej, w 2006 roku, po prawie dwudziestu latach pracy w charakterze neurochirurga oraz nauczyciela akademickiego w różnych szpitalach aglomeracji bostońskiej, wraz z Holley i resztą naszej rodziny podjęliśmy decyzję o przeprowadzce do Wirginii. Moją przyszłą żonę poznałem w październiku 1977 roku, dwa lata po ukończeniu przez nas oboje studiów pierwszego stopnia. Holley kontynuowała naukę na wydziale sztuk pięknych, a ja na wydziale medycyny. Przez jakiś czas spotykała się z Vikiem, moim współlokatorem z akademika. Pewnego dnia przedstawił mi ją, prawdopodobnie chcąc się pochwalić. Gdy wychodzili, powiedziałem Holley, że chętnie bym się z nią zobaczył, ale bez towarzystwa Vica.

Na pierwszą prawdziwą randkę wybraliśmy się do Charlotte w Karolinie Północnej, miasta oddalonego o dwie i pół godziny jazdy samochodem, na imprezę organizowaną przez znajomych. Holley chorowała wtedy na zapalenie krtani, więc przez 99 procent czasu prowadziłem rozmowę sam ze sobą. Przypadliśmy sobie do gustu. Pobraliśmy się w czerwcu 1980 roku w kościele episkopalnym Świętego Tomasza w Windsorze w Karolinie Północnej, a wkrótce potem przeprowadziliśmy się do apartamentów noszących nazwę Royal Oaks – Królewskie Dęby – w Durham, gdzie zostałem przyjęty jako rezydent na oddział chirurgii Uniwersytetu Duke'a. Nasze apartamenty w niczym nie przypominały królewskich, nie pamiętam też, żebym w okolicy widział choć jeden dąb. Z pieniędzmi było u nas bardzo krucho, ale oboje byliśmy tak zajęci – i tak szczęśliwi, że jesteśmy razem – że nie dbaliśmy o tego rodzaju drobiazgi. Na jedne z pierwszych wakacji wybraliśmy się wiosną. Zaplanowaliśmy objazd plaż Karoliny Północnej. Wiosna to pora wylęgu najróżniejszych dokuczliwych owadów, w tym meszek i komarów, w obu Karolinach. Brezent namiotu zupełnie nas przed nimi nie chronił, ale nam to nie przeszkadzało. Pewnego popołudnia, pływając w spienionych falach przy brzegach wyspy Ocracoke, wymyśliłem sposób hurtowego łapania krabów błękitnych, od których dosłownie roiło się na plaży. Większą część zdobyczy zabraliśmy do motelu Pony Island, w którym mieszkała grupa znajomych. Po upieczeniu krabów na ruszcie wszyscy najedliśmy się do syta. Mimo iż oszczędzaliśmy niemal na wszystkim, wkrótce zabrakło nam pieniędzy. Na jakiś czas zatrzymaliśmy się u naszych przyjaciół Billa i Patty Wilsonów. Pewnego dnia ni stąd, ni zowąd postanowiliśmy się wybrać wraz z nimi do salonu bingo. Od dziesięciu lat Bill zaglądał tam w każdy czwartek i nigdy nie udało mu się wygrać. Holley próbowała swoich sił po raz pierwszy. Możecie to nazwać szczęściem początkującego lub boską interwencją, ale wygrała dwieście dolarów – sumę, która wtedy stanowiła dla nas prawdziwy majątek. Dzięki niej, chwilowo wolni od trosk materialnych, mogliśmy przedłużyć naszą podróż.

W 1980 roku uzyskałem stopień doktora medycyny. Mniej więcej w tym samym czasie Holley obroniła pracę magisterską i rozpoczęła pracę jako malarka i nauczycielka. W 1981 roku w Szpitalu Uniwersytetu Duke'a przeprowadziłem pierwszą samodzielną operację mózgu. Nasz pierwszy syn, Eben IV, urodził się w 1987 roku w Szpitalu Położniczym imienia Księżnej Mary w Newcastle-Upon-Tyne w północnej Anglii (byłem tam na stypendium naukowym), a młodszy, Bond, przyszedł na świat w Bostonie w Szpitalu imienia Brighama w 1998 roku.

Wraz z rodziną bardzo miło wspominamy lata spędzone na Harvardzie. Pracowałem wtedy na wydziale medycyny tego uniwersytetu oraz w Szpitalu imienia Brighama.

Jednak w 2005 roku wraz z Holley doszliśmy do wniosku, że czas się przenieść z powrotem na południe. Chcieliśmy zamieszkać bliżej naszych rodzin, poza tym uznałem przeprowadzkę za doskonałą sposobność uzyskania trochę większej niezależności. I tak wiosną 2006 roku rozpoczęliśmy wszystko od nowa w Lynchburgu u podnóża Appalachów. Bardzo odpowiadało nam zapamiętane z dzieciństwa spokojniejsze tempo życia typowe dla tej części kraju.

Przez chwilę leżałem bez ruchu, zastanawiając się, co mnie obudziło. Poprzedni dzień – niedziela – był typowy dla późnej jesieni w Wirginii: słoneczny, bezchmurny i niezbyt chłodny. Wraz z Holley i Bondem (miał wtedy dziesięć lat) wybraliśmy się do sąsiadów na barbecue. Wieczorem rozmawialiśmy przez telefon z Ebenem IV (dwadzieścia lat), studentem trzeciego roku Uniwersytetu Delaware. Całej naszej trójce dokuczał wirus wywołujący lekkie dolegliwości układu oddechowego, którym zaraziliśmy się tydzień wcześniej. Tuż przed snem rozbolały mnie plecy, więc wziąłem szybką kąpiel. Gdy tylko się rozgrzałem, dolegliwości ustąpiły. Zastanawiałem się, czy tak wczesnego przebudzenia nie zawdzięczam przypadkiem kolejnej odsłonie walki mojego organizmu z chorobą.

Gdy spróbowałem obrócić się na bok, poczułem przenikliwy ból. Tym razem jego fala objęła cały kręgosłup, był też znacznie bardziej intensywny niż poprzedniego wieczora. Najwyraźniej wirus grypy nie tylko o mnie nie zapomniał, lecz także szykował się do kolejnego ataku. Im bardziej się wybudzałem, tym gorzej się czułem. Ponieważ nie mogłem zasnąć, a do rozpoczęcia dnia pracy została mi jeszcze godzina, postanowiłem znów wziąć ciepłą kąpiel. Usiadłem na łóżku, dotknąłem stopami podłogi i wstałem.

Zmiana pozycji sprowokowała kolejny atak. Tym razem tępy, pulsujący ból skoncentrował się w lędźwiowym odcinku mojego kręgosłupa. Starając się nie budzić żony, na palcach poszedłem do głównej łazienki.

Odkręciłem kurek z wodą i ostrożnie usiadłem w wannie, licząc na zbawienny wpływ ciepła. Nic z tego. Zanim wypełniła się do połowy, wiedziałem, że popełniłem błąd. Ból nieustannie narastał i po chwili dawał mi się już bardzo we znaki. Obawiałem się, iż bez pomocy Holley nie uda mi się wydostać z wanny.

Zaskoczony absurdalnością swojego położenia chwyciłem jednocześnie za obie poły ręcznika zwisającego z suszarki nade mną. Przesunąłem płótno ku ścianie, żeby nie urwała się pod ciężarem mojego ciała, i ostrożnie podniosłem się do góry.

Moje plecy przeszyło kolejne ukłucie bólu, tym razem tak silne, że omal nie krzyknąłem. Z pewnością nie była to grypa. W takim razie co? Wydostałem się ze śliskiej wanny, narzuciłem na siebie frotowy płaszcz kąpielowy w szkarłatnym kolorze, bardzo powoli wróciłem do naszej sypialni i bezwładnie upadłem na łóżko. Poczułem, że moje ciało znów robi się wilgotne. Tym razem pokrywały je krople zimnego potu.

Zaniepokojona Holley obudziła się i odwróciła głowę.

– Co się stało? Która godzina?

– Nie mam pojęcia – wystękałem. – Moje plecy. Bardzo mnie bolą.

Holley zrobiła mi krótki masaż. Ku swojemu zdziwieniu, poczułem się trochę lepiej. Lekarze, mówiąc bardzo oględnie, nie lubią chorować. Nie zaliczam się do wyjątków. Przez chwilę miałem wrażenie, że ból – oraz to, co było jego przyczyną – zacznie ustępować. Lecz o szóstej trzydzieści, czyli wtedy, gdy zwykle wychodziłem do pracy, nadal mi dokuczał. Prawie nie mogłem się ruszać.

Godzinę później do naszej sypialni wszedł Bond, zdziwiony, że jeszcze jestem w domu.

– Co się stało?

– Tatuś źle się czuje, kochanie – wyjaśniła Holley.

Nadal leżałem w łóżku, z głową wspartą na poduszce. Bond podszedł do mnie i spróbował rozmasować mi skronie. Jego dotyk sprawił, że przeszył mnie najsilniejszy jak dotąd atak bólu. Nie mogłem powstrzymać krzyku. Przestraszony moją reakcją Bond odskoczył.

– Wszystko w porządku – uspokoiła go Holley. Po tonie jej głosu zorientowałem się jednak, że myśli inaczej. – To nie twoja wina. Tatusia bardzo boli głowa.

Potem usłyszałem, jak mówi bardziej do siebie niż do mnie:

– Zastanawiam się, czy nie powinnam wezwać pogotowia.

Jeżeli istnieje coś, co lekarze znoszą jeszcze gorzej niż chorobę u siebie, to tym czymś jest pobyt w szpitalnym oddziale ratunkowym w charakterze pacjenta. Wyobraziłem sobie paramedyków, standardowe pytania, jazdę do szpitala, masę papierkowej roboty... Pomyślałem, że gdy już poczuję się lepiej, z pewnością pożałuję całej tej szopki.

– Nie, nigdzie nie dzwoń. Jeszcze mnie boli, ale zaraz przejdzie. – Starałem się uspokoić żonę. – Lepiej wypraw Bonda do szkoły.

– Eben, naprawdę myślę...

– Nic mi nie będzie! – przerwałem jej z twarzą ukrytą w poduszce. Wciąż paraliżował mnie ból. – Nie dzwoń po pogotowie. Nie jestem aż tak chory. To pewnie zwykły skurcz mięśni kręgosłupa i migrena.

Holley z ociąganiem zabrała Bonda na dół, zrobiła mu śniadanie, a potem wysłała pod dom kolegi, gdzie znajdował się przystanek szkolnego autobusu. Gdy syn wychodził, pomyślałem, że jeżeli rzeczywiście dolega mi coś poważnego i wyląduję w szpitalu, to po południu nie odbiorę go ze szkoły. Zebrałem w sobie resztki energii i wychrypiałem:

– Trzymaj się, Bond!

Zanim Holley znów zajrzała do sypialni, zacząłem tracić przytomność. Leżałem bez ruchu, więc uznała, że drzemię. Przymknęła drzwi i zeszła na dół, skąd zatelefonowała do kilku moich kolegów, mając nadzieję uzyskać od nich jakieś sugestie co do dalszego postępowania w takiej sytuacji.

Dwie godziny później wróciła, żeby sprawdzić, co się ze mną dzieje. Gdy otworzyła drzwi do sypialni, coś ją zaniepokoiło, więc włączyła światło i podeszła bliżej do łóżka. Moim sztywniejącym ciałem targały gwałtowne konwulsje. Wysunięta do przodu dolna szczęka nadawała mojej twarzy upiorny wyraz potęgowany przez białka oczu widoczne spod półotwartych powiek.

– Eben, powiedz coś! – krzyknęła.

Nie zareagowałem, więc natychmiast zadzwoniła na numer 911. Pogotowie przyjechało po niecałych dziesięciu minutach. Paramedycy zanieśli mnie do karetki i po kilku chwilach trafiłem na ostry dyżur do szpitala ogólnego w Lynchburgu.

Gdybym mógł mówić, wyjaśniłbym Holley, co działo się ze mną podczas przerażających chwil oczekiwania na ambulans. Był to pełnoobjawowy napad padaczkowy typu grand mal, spowodowany przez jakiś niezwykle silny bodziec, któremu został poddany mój mózg.

Straciłem jednak przytomność, więc oczywiście nie mogłem zrobić niczego podobnego.

Na siedem następnych dni dla Holley i dla reszty rodziny stałem się tylko ciałem. Nie pamiętam żadnych wydarzeń z tamtego tygodnia, dlatego musiałem je zrekonstruować w oparciu o relacje innych osób. Mój umysł, mój duch – jakkolwiek nazwalibyście istotę człowieczeństwa – zniknął.

# 2

# SZPITAL

Oddział ratunkowy szpitala ogólnego w Lynchburgu zajmuje drugie miejsce w Wirginii pod względem liczby obsługiwanych pacjentów. W tygodniu zwykle pracuje pełną parą już od dziewiątej trzydzieści. Tamten poniedziałek nie był wyjątkiem. Chociaż obowiązki zawodowe wiązały mnie z Charlottesville, często operowałem także w szpitalu w Lynchburgu, dlatego znałem tam prawie wszystkich.

Laura Potter, lekarka z oddziału ratunkowego, z którą współpracowałem prawie od dwóch lat, odebrała telefon z ambulansu. Paramedyk poinformował ją o rychłym przybyciu białego mężczyzny w wieku pięćdziesięciu czterech lat w stanie padaczkowym. Kierując się do wejścia, przy którym zatrzymywały się karetki, zastanawiała się, co mogło spowodować tak nasiloną reakcję organizmu pacjenta. Gdybym znalazł się na jej miejscu, zrobiłbym dokładnie to samo. Lista możliwych przyczyn obejmowała zespół odstawienia alkoholu, przedawkowanie narkotyków lub środków uspokajających, hiponatremię (zbyt niski poziom sodu we krwi), udar, pierwotny lub przerzutowy guz mózgu, krwotok śródmózgowy (krwotoczny udar mózgu), ropień mózgu... i zapalenie opon mózgowych.

Gdy paramedycy wwieźli mnie na łóżku do sali resuscytacyjnej numer 1, moim ciałem nadal wstrząsały konwulsje, co jakiś czas jęczałem, a na dodatek wykonywałem gwałtowne, nieskoordynowane ruchy rękami i nogami.

Doktor Potter natychmiast stwierdziła, że mój mózg walczy z jakimiś bardzo silnymi bodźcami patogennymi. Natychmiast pojawiła się pielęgniarka z wózkiem zabiegowym, kolejna pobrała ode mnie krew do badań, a trzecia podłączyła do kaniuli nowy worek z kroplówką, ponieważ pierwsza, którą paramedycy podali mi w domu przed przeniesieniem do ambulansu, już się skończyła. Gdy dostałem się w ręce lekarzy, wiłem się jak wyciągana z wody ryba o długości ponad metr osiemdziesiąt. Wydawałem z siebie serie niezrozumiałych odgłosów i iście zwierzęcych okrzyków. Laurę niepokoiły nie tylko napady konwulsji, lecz także zanik symetrii ruchów mojego ciała. Mogło to oznaczać nie tylko chorobę mózgu, lecz także poważne i prawdopodobnie nieodwracalne uszkodzenia tego narządu.

Widok pacjenta w takim stanie wymaga przyzwyczajenia, lecz Laura po wielu latach spędzonych w szpitalnym oddziale ratunkowym widziała już wszystko. Nigdy wcześniej nie przyjmowała jednak do szpitala żadnego z kolegów-lekarzy w tak poważnym stanie. Przyglądając się uważniej wykrzywionej twarzy jęczącego pacjenta, szepnęła do siebie:

– Eben...

A potem zawołała do wszystkich znajdujących się w pobliżu lekarzy i pielęgniarek:

– To Eben Alexander!

Personel, który usłyszał jej słowa, natychmiast pospieszył do mojego łóżka. Po chwili do grupy dołączyła Holley, która przybyła do szpitala w ślad za ambulansem. Laura zadawała obowiązkowe pytania na temat najbardziej oczywistych możliwych przyczyn mojego stanu. Czy nagle odstawiłem alkohol? Czy niedawno zażywałem jakiekolwiek silne środki halucynogenne? Następnie zabrała się do pracy, próbując przerwać nawracające napady chaotycznych skurczów ciała.

W ciągu ostatnich kilku miesięcy sporo ćwiczyłem. Eben IV przygotował dla mnie specjalny program treningowy, którego zwieńczeniem miało być zdobycie przez naszą dwójkę – ojca i syna – Cotopaxi, czynnego wulkanu o wysokości 5897 metrów w Ekwadorze. Mój syn stanął na jego szczycie w lutym poprzedniego roku. Dzięki systematycznym ćwiczeniom stałem się znacznie silniejszy, co skutecznie udaremniało wszelkie próby unieruchomienia mnie przez paramedyków. Pięć minut i piętnaście miligramów podanego dożylnie diazepamu później nadal majaczyłem i odpychałem wszystkich od siebie. Mimo to doktor Potter zauważyła z ulgą, że teraz przynajmniej wykorzystywałem do tego celu obie strony ciała. Holley powiedziała Laurze o silnym bólu głowy, na który się uskarżałem tuż przed napadem. Informacja ta skłoniła Laurę do wykonania nakłucia lędźwiowego – procedury, podczas której niewielką ilość płynu mózgowo-rdzeniowego pobiera się z przestrzeni podpajęczynówkowej w dolnym odcinku kręgosłupa.

Płyn mózgowo-rdzeniowy to przejrzysta, wodnista ciecz, wypełniająca kanał rdzenia kręgowego oraz przestrzeń podpajęczynówkową. Pełni funkcję amortyzatora – chroni mózg przed wstrząsami oraz innymi urazami mechanicznymi. Organizm człowieka wytwarza dziennie około pół litra tego płynu. U zdrowych ludzi jest on przezroczysty, a każde jego zmętnienie wskazuje na obecność krwotoku lub zakażenia.

Tego rodzaju zakażenie nosi nazwę zapalenia opon mózgowo-rdzeniowych – czyli błon zbudowanych z tkanki łącznej, otaczających mózg i rdzeń kręgowy w kanale kręgosłupa. Między oponami znajduje się płyn mózgowo-rdzeniowy. W czterech przypadkach na pięć chorobę tę wywołują wirusy. Wirusowe zapalenie opon mózgowo-rdzeniowych może mieć bardzo ciężki przebieg, lecz prowadzi ono do zgonu jedynie u około 1 procenta pacjentów. Za pozostałe przypadki tej choroby odpowiadają bakterie. Te ostatnie, jako organizmy bardziej pierwotne niż wirusy, bywają znacznie bardziej niebezpiecznym przeciwnikiem. Nieleczone bakteryjne zapalenie opon mózgowych niemal zawsze kończy się zgonem pacjenta. Nawet po szybkim podaniu odpowiednich antybiotyków współczynnik umieralności sięga od 15 do 40 procent.

Niesłychanie rzadko sprawcą bakteryjnego zapalenia opon mózgowych u osób dorosłych bywa bardzo stara i niezwykle przebiegła bakteria Escherichia coli, lepiej znana jako pałeczka okrężnicy. Nie wiadomo, od jak dawna istnieje, lecz szacunkowo jej wiek określa się na trzy do czterech miliardów lat. Nie ma jądra komórkowego i rozmnaża się bezpłciowo dość prostym, lecz nadzwyczaj skutecznym sposobem – przez monotomię (innymi słowy, przez podział na dwie części). Wyobraźcie sobie komórkę wypełnioną zasadniczo wyłącznie materiałem DNA, które bezpośrednio przez ścianę pobiera z otoczenia substancje odżywcze (zwykle od innych komórek, które atakuje, a następnie wchłania). Wyobraźcie sobie też, że mniej więcej co dwadzieścia minut kopiuje jednocześnie po kilka nici DNA i rozszczepia się na dwie komórki potomne. Oznacza to, że po upływie godziny z jednej komórki powstaje osiem. Po dwunastu godzinach jest ich już 69 miliardów. A po piętnastu – 35 bilionów. To gwałtowne tempo rozmnażania spada dopiero wtedy, gdy kończy się pożywienie.

Pałeczki okrężnicy potrafią nawiązywać intymne kontakty z wieloma mikroorganizmami. Wymieniają się materiałem genetycznym z innymi gatunkami bakterii. Proces ten nosi nazwę koniugacji i w razie potrzeby pozwala komórce szybko przyswajać sobie nowe cechy (takie jak na przykład oporność na antybiotyki). Dzięki temu przepisowi na sukces pałeczka okrężnicy bytuje na ziemi od najwcześniejszych dni jednokomórkowego życia. Jej szczepy można znaleźć niemal u wszystkich organizmów żywych, przeważnie w przewodzie pokarmowym. W normalnych warunkach bakteria ta nie stanowi dla człowieka żadnego zagrożenia. Lecz gdy jej kolonie, które podczas wymiany nabyły nici DNA od bardziej zjadliwych organizmów, przedostaną się do płynu mózgowo-rdzeniowego, natychmiast zaczynają pożerać glukozę zawartą w tym płynie, a oprócz tego wszystko, co nadaje się do zjedzenia, nie wyłączając tkanek mózgu.

W chwili gdy przywieziono mnie do szpitala, żaden z lekarzy dyżurnych nawet nie podejrzewał u mnie zapalenia opon mózgowych wywołanego przez pałeczkę okrężnicy. Nie mieli ku temu żadnych podstaw. U osób dorosłych choroba ta występuje niesłychanie rzadko. Najbardziej narażone na nią są noworodki, lecz już po upływie trzech miesięcy zapadalność na tę chorobę w tej grupie wiekowej znacząco spada. U osób dorosłych co roku notuje się mniej niż jeden przypadek na 10 milionów.

Bakterie powodujące zapalenie opon mózgowo-rdzeniowych atakują najpierw zewnętrzną część mózgu, czyli korę. Słowo „kora" pochodzi od łacińskiego słowa cortex oznaczającego między innymi łupinę lub skórkę. Wyobraźcie sobie pomarańczę – jej skórka osłania wnętrze owocu tak samo jak kora mózgowa przykrywa ewolucyjnie bardziej pierwotne części mózgu. Kora odpowiada za pamięć, język, emocje, odbiór bodźców wzrokowych i słuchowych oraz za procesy kojarzenia. Tak więc gdy jakiś patogen zaatakuje mózg, najpierw wyrządza szkody w obszarach odpowiedzialnych za funkcje kluczowe dla istoty naszego człowieczeństwa. Wielu chorych na bakteryjne zapalenie opon mózgowych umiera w ciągu pierwszych kilku dni po zarażeniu. Spośród tych, którzy znajdą się na oddziale ratunkowym szpitala z szybko pogarszającą się czynnością układu nerwowego (tak jak ja), zaledwie 10 procent ma szczęście utrzymać się przy życiu. Jednak w tym wypadku pojęcie szczęścia jest dość względne, bo wielu z nich spędza resztę życia w stanie wegetatywnym.

Chociaż doktor Potter nie podejrzewała u mnie zapalenia opon mózgowych wywołanego przez pałeczkę okrężnicy, od razu nasunęło jej się podejrzenie o jakiś rodzaj zakażenia ośrodkowego układu nerwowego, dlatego postanowiła wykonać nakłucie lędźwiowe. W chwili gdy prosiła jednego z pielęgniarzy o przyniesienie zestawu do wykonywania tej procedury i o przygotowanie mnie do zabiegu, moje ciało nagle podskoczyło jak rażone prądem. Otrzymałem nowy ładunek energii. Wydałem z siebie długi, pełen udręki jęk, wygiąłem plecy w łuk i zacząłem wymachiwać rękami. Twarz mi poczerwieniała, a żyły szyjne nabrzmiały mi jak postronki. Laura wezwała pomoc. Wkrótce przytrzymywały mnie dwie, potem cztery, a wreszcie sześć osób. Ułożyły mnie w pozycji embrionalnej, podczas gdy Laura podała mi kolejną dawkę środków uspokajających. Na koniec pielęgniarzom udało się unieruchomić mnie na tyle, by umożliwić doktor Potter wprowadzenie igły do lędźwiowego odcinka mojego kręgosłupa.

Gdy bakterie atakują organizm człowieka, ten natychmiast przechodzi do obrony. Z koszar zlokalizowanych w śledzionie i w szpiku kostnym wysyła do walki z najeźdźcami grupę uderzeniową złożoną z białych krwinek. To właśnie one ponoszą pierwsze straty w zażartej walce komórek. Doktor Potter wiedziała, że każda zmiana zabarwienia mojego płynu mózgowo-rdzeniowego będzie spowodowana działaniem leukocytów.

Pochyliła się nade mną i spojrzała na manometr – przeźroczystą rurkę, w której pojawia się płyn mózgowo-rdzeniowy. Tu czekała na Laurę pierwsza niespodzianka. Płyn nie kapał z miejsca nakłucia, lecz z niego wytrysnął pod niepokojąco wysokim ciśnieniem.

Drugą niespodzianką był wygląd płynu. Każde, nawet najdrobniejsze jego zmętnienie oznaczało dla mnie poważne kłopoty. Ciecz, która znalazła się w rurce manometru, była lepka i miała białe zabarwienie z lekkim odcieniem zieleni.

W moim płynie mózgowo-rdzeniowym znajdowała się ropa.

# 3

# ZAKAŻENIE BEZ PRZYCZYNY

Doktor Potter przywołała za pomocą pagera Roberta Brennana, jednego ze swoich współpracowników w szpitalu w Lynchburgu. Doktor Brennan specjalizował się w leczeniu chorób zakaźnych. Czekając na wyniki kolejnych badań wykonywanych w pobliskim laboratorium, zastanawiali się nad przyczynami mojej choroby i rozważali wszystkie możliwe schematy leczenia.

Mijały minuty. Przypięty pasami do łóżka nadal jęczałem i wiłem się niespokojnie. Tymczasem z laboratorium przysyłano kolejne wyniki badań. Obraz choroby, dotąd niejasny, stał się jeszcze bardziej zagmatwany. Po zastosowaniu specjalnej metody barwienia bakterii (opracowanej przez duńskiego lekarza i pozwalającej na różnicowanie organizmów chorobotwórczych na Gram-dodatnie i Gram-ujemne, co z kolei umożliwia określenie ich podatności na leki) stwierdzono w moim organizmie obecność pałeczek Gram-ujemnych. Lekarze nie posiadali się ze zdumienia.

Badanie głowy tomografią komputerową wykazało niebezpieczne obrzmienie i stan zapalny opon chroniących mój mózg. Zostałem zaintubowany (to znaczy, do tchawicy wsunięto mi specjalną rurkę umożliwiającą dopływ powietrza). Od tej chwili oddychał za mnie wentylator, odmierzając dokładnie dwanaście oddechów na minutę, a wokół mojego łóżka ustawiono całą baterię monitorów rejestrujących najróżniejsze parametry życiowe oraz działanie prawie zniszczonego mózgu.

Garstka dorosłych zapadających corocznie na samoistne zapalenie opon mózgowych (czyli niespowodowane przebytym zabiegiem operacyjnym ani penetrującym urazem głowy) wywołane przez pałeczkę okrężnicy najczęściej choruje z powodu upośledzenia czynności układu odpornościowego (często w przebiegu zakażenia wirusem HIV lub pełnoobjawowego AIDS). Lecz u mnie nie występował żaden czynnik usposabiający do wystąpienia tego rodzaju infekcji. Owszem, zapalenie opon mózgowych mogą również powodować inne bakterie przenikające z zatok przynosowych lub z ucha środkowego, jednak pałeczka okrężnicy nie zalicza się do tej grupy. Przestrzeń podpajęczynówkowa jest zbyt dobrze odizolowana od reszty ciała, by coś takiego mogło się wydarzyć. Jeżeli kręgosłup lub czaszka nie zostaną przekłute zanieczyszczonym przedmiotem (na przykład zakładanym przez neurochirurga urządzeniem do stymulacji głębokiej mózgu lub drenem do odprowadzania nadmiaru płynu mózgowo-rdzeniowego do jamy otrzewnej), bakterie zamieszkujące zwykle układ pokarmowy po prostu nie mają dostępu do tych okolic anatomicznych. W trakcie pracy zawodowej osobiście zakładałem w mózgach pacjentów setki drenów i stymulatorów, więc gdybym mógł wziąć udział w konsylium na temat swojego przypadku, zgodziłbym się z moimi zbitymi z tropu kolegami, że zapadłem na chorobę, na którą w rzeczywistości nie mogłem zachorować.

Moi lekarze nie mogli się pogodzić z wynikami badań laboratoryjnych. Zaczęli telefonować do najlepszych specjalistów od chorób zakaźnych w głównych akademickich ośrodkach medycznych. Wszyscy zapytani przyznawali, że w tej sytuacji istnieje tylko jedno możliwe rozpoznanie.

Zapadnięcie bez powodu na ostre bakteryjne zapalenie opon mózgowych nie było jedynym dziwnym wyczynem, jakiego dokonałem tamtego dnia. Pod koniec pobytu na oddziale ratunkowym, po dwóch godzinach gardłowych zawodzeń i jęków, nagle się uspokoiłem. Po chwili milczenia ni stąd, ni zowąd wykrzyknąłem trzy słowa. Zabrzmiały tak wyraźnie, że usłyszeli je wszyscy znajdujący się w pobliżu lekarze i pielęgniarki, a także Holley, która stała za zasłoną kilka kroków ode mnie.

– Boże, pomóż mi!

Wszyscy jak na komendę podbiegli do mojego łóżka, lecz zanim do niego dotarli, przestałem reagować na wszelkie bodźce zewnętrzne.

Z pobytu na oddziale ratunkowym nie pamiętam zupełnie nic. Dzięki relacjom innych osób wiem tylko tyle, że po wypowiedzeniu tych słów zamilkłem na siedem dni.

# 4

# EBEN IV

Gdy przewieziono mnie do sali resuscytacyjnej numer 1, mój stan nadal się pogarszał. Stężenie glukozy w płynie mózgowo-rdzeniowym u zdrowej osoby wynosi około 80 miligramów na decylitr. U bardzo chorego pacjenta, znajdującego się w bezpośrednim niebezpieczeństwie zgonu z powodu bakteryjnego zapalenia opon mózgowych, może spaść nawet do 20 mg/dl.

Stwierdzone u mnie stężenie glukozy w płynie mózgowo-rdzeniowym wynosiło 1 mg/dl. W skali Glasgow (służącej do oceny poziomu świadomości) miałem 8 punktów na 15 możliwych, co wskazywało na poważną chorobę mózgu. W ciągu kilku następnych dni liczba ta ciągle spadała. Mój wynik w skali APACHE II (do oceny ciężkości stanu pacjentów) wyniósł 18 na 71 punktów, co oznaczało, że szanse, iż umrę podczas pobytu w szpitalu, zbliżały się do 30 procent. Innymi słowy, ze względu na rozpoznanie ostrego zapalenia opon mózgowo-rdzeniowych wywołanego przez bakterię Gram-ujemną oraz szybkie pogorszenie się czynności układu nerwowego w chwili przybycia do szpitala miałem w najlepszym razie zaledwie 10 procent szans na przeżycie. Lekarze wiedzieli, że jeżeli podane mi antybiotyki nie zadziałają, przez kilka kolejnych dni ryzyko zgonu będzie systematycznie wzrastać, aż ostatecznie dojdzie do 100 procent.

Podano mi dożylnie trzy bardzo silne antybiotyki, a następnie przewieziono do mojego nowego domu – dużej jednoosobowej sali numer 10 na oddziale intensywnej terapii, piętro nad szpitalnym oddziałem ratunkowym.

Jako chirurg wiele razy odwiedzałem ten oddział. Właśnie tam przebywają najciężej chorzy pacjenci, których tylko włos dzieli od śmierci. Walczą o nich równocześnie przedstawiciele kilku specjalności medycznych. Mimo że mają niewielkie szanse, stanowią jeden zespół i ściśle koordynują wszelkie działania. To naprawdę niesamowity widok. Odczuwałem tam na przemian niesamowitą dumę lub straszliwe rozczarowanie, zależnie od tego, czy udało nam się uratować pacjenta, czy nie.

W rozmowach z Holley doktor Brennan i pozostali lekarze zachowywali umiarkowany optymizm. Obiektywnie rzecz biorąc, nie mieli jednak ku temu racjonalnych podstaw. Prawda była nieubłagana: należałem do grupy pacjentów zagrożonych bardzo wysokim ryzykiem zgonu, który miał nadejść niebawem. A nawet gdybym nie umarł, bakterie atakujące mój mózg prawdopodobnie zdążyły już unicestwić na tyle dużą część mojej kory mózgowej odpowiedzialnej za wyższe procesy poznawcze, że uniemożliwi mi to normalne funkcjonowanie. Im dłużej będę przebywał w śpiączce, tym bardziej będzie wzrastało prawdopodobieństwo, iż spędzę resztę życia w stanie wegetatywnym.

Na szczęście nie tylko personel szpitala w Lynchburgu, lecz także inni ludzie, słysząc o mojej chorobie, pospieszyli z pomocą. Mniej więcej godzinę po Holley przyjechał do szpitala Michael Sullivan, pastor kościoła episkopalnego, nasz sąsiad. Gdy moja żona wybiegła z domu w ślad za ambulansem, usłyszała brzęczenie komórki. Dzwoniła jej długoletnia przyjaciółka Sylvia White. W niewytłumaczalny sposób Sylvia zawsze kontaktowała się z moją żona właśnie wtedy, gdy w naszej rodzinie działo się coś ważnego. Holley podejrzewała ją o zdolności parapsychologiczne. (Ja wolałem bezpieczniejsze i bardziej racjonalne wyjaśnienie: Sylvia po prostu umiała doskonale zgadywać). Holley opowiedziała Sylvii o mojej chorobie, a następnie obie telefonicznie powiadomiły moją najbliższą rodzinę, czyli siostry: Betsy (mieszkała w pobliżu), najmłodszą z nas czterdziestoośmioletnią Phyllis (w Bostonie) i Jean, najstarszą (w Delaware).

Tak się szczęśliwie złożyło, że w tamten poniedziałek rano Jean wybrała się z pomocą do naszej matki w Winston-Salem. W chwili gdy zadzwonił do niej jej mąż David, przejeżdżała właśnie przez Wirginię.

– Minęłaś już Richmond? – zapytał.

– Nie – odparła Jean. – Jestem na północnej obwodnicy, na I-95.

– Zjedź na drogę numer 60 na zachód, a potem na 24 do Lynchburga. Przed chwilą dzwoniła Holley. Ebena zabrali do szpitala. Dziś rano miał atak i nie odzyskał przytomności.

– O Boże! Wiedzą już, co mu jest?

– Nie są pewni, ale podejrzewają zapalenie opon mózgowych.

Jean zdążyła skręcić na autostradę numer 60 prowadzącą na zachód, z której dostała się na drogę numer 24 prowadzącą prosto do Lynchburga.

O trzeciej po południu Phyllis dodzwoniła się do mojego syna Ebena IV. Siedział właśnie na ganku domu studenckiego, odrabiając zadanie (mój ojciec był neurochirurgiem, a teraz również mój syn poważnie interesował się tą specjalnością). Phyllis szybko zrelacjonowała mu całą sytuację i powiedziała, żeby się nie niepokoił, bo lekarze panują nad sytuacją.

– Wiedzą, co to za choroba? – spytał Eben.

– Wspominali coś o zapaleniu opon mózgowych i o bakteriach Gram-ujemnych.

– Za kilka dni mam dwa egzaminy. Muszę uprzedzić profesorów – stwierdził Eben.

Później przyznał, że początkowo nie mógł uwierzyć w słowa Phyllis o bardzo poważnym zagrożeniu mojego życia, gdyż ciotka i matka miały zwyczaj robić z igły widły. Poza tym nigdy nie chorowałem. Lecz kiedy godzinę później zadzwonił do niego pastor Michael Sullivan, zorientował się, iż musi jechać do Lynchburga, i to natychmiast.

Gdy ruszył w drogę, zaczął padać marznący deszcz. Phyllis wyleciała z Bostonu o szóstej, a gdy Eben przez most nad Potomakiem wjeżdżał do Wirginii drogą I-495, znajdowała się jeszcze w powietrzu. Wylądowała w Richmond, wypożyczyła samochód i podobnie jak Jean pojechała drogą numer 60.

Kiedy Eben znajdował się w odległości zaledwie kilku mil od Lynchburga, zatelefonował do Holley.

– Co u Bonda? – zapytał.

– Śpi – odpowiedziała Holley.

– W takim razie jadę prosto do szpitala – zakomunikował.

– Jesteś pewien, że nie chcesz się odświeżyć w domu?

– Tak – odparł Eben. – Chcę zajrzeć do taty.

Na parking przy oddziale intensywnej terapii dotarł o dwudziestej trzeciej piętnaście. Chodnik wiodący do szpitala zdążył już pokryć się lodem. W jasno oświetlonej recepcji oddziału zastał tylko pielęgniarkę z nocnej zmiany, która zaprowadziła go do sali, gdzie leżałem.

O tej porze nie było już nikogo z odwiedzających. W dużym pomieszczeniu panował półmrok. Słychać było tylko ciche popiskiwania i posykiwania maszyn utrzymujących mnie przy życiu.

Na mój widok Eben zamarł. Nie pamiętał, żeby kiedykolwiek dolegało mi coś poważniejszego niż przeziębienie. Jako student medycyny dobrze wiedział, że patrzy na zwłoki, chociaż maszyny robiły wszystko, by zatrzeć to wrażenie. Moje ciało znajdowało się na łóżku, ale ojciec, którego znał Eben, nie istniał.

Chociaż może lepiej byłoby powiedzieć: znajdował się gdzieś indziej.

# 5

# ZAŚWIATY

Ciemność, lecz prześwitująca, jak błoto, przez które miejscami coś widać. Chociaż nie, może lepiej porównać tę substancję do mętnej galarety. Przepuszczającej światło, ale zniekształcającej obrazy, klaustrofobicznej i paraliżującej.

Świadomość pozbawiona pamięci i tożsamości, jak sen, podczas którego wiemy, co się z nami dzieje, lecz tak naprawdę nie mamy pojęcia, kim ani czym jesteśmy.

Odgłosy – głęboki, rytmiczny łoskot, odległy, lecz na tyle silny, że każde uderzenie przenikało mnie na wskroś. Coś jak bicie serca? W pewnym sensie, ale bardziej ponure, bardziej mechaniczne, przypominające uderzenia metalu o metal, jakby ukryty gdzieś pod ziemią gigantyczny kowal łomotał w kowadło tak mocno, że wibracje przenikały ziemię, błoto lub to, w czym się znajdowałem.

Nie miałem ciała, a przynajmniej nie byłem świadom jego istnienia. Po prostu tam... byłem. Znajdowałem się w tętniącej, hałaśliwej ciemności. Teraz nazwałbym ją „pierwotną", lecz w chwili gdy rozgrywały się opisywane wydarzenia, nie znałem tego słowa. Nie znałem żadnych słów. Słowa używane na ziemi przypomniałem sobie o wiele później, gdy znów znalazłem się w naszym świecie i zacząłem spisywać wspomnienia. Język, uczucia, logika – wszystko zniknęło, zupełnie jakbym cofnął się w rozwoju do prapoczątków życia, kto wie, czy nawet nie do prymitywnych bakterii, które przejęły kontrolę nad moim mózgiem i doprowadziły do jego wyłączenia.

Jak długo przebywałem w tamtym świecie? Nie mam pojęcia. Kiedy znajdziemy się w miejscu, w którym nie istnieje poczucie czasu – przynajmniej w takim sensie, jakiego doświadczamy na ziemi – precyzyjny opis jego upływu graniczy z niemożliwością. Gdy rozgrywały się opisywane wydarzenia, miałem wrażenie (czymkolwiek byłem), że jestem tam od zawsze i że zostanę tam równie długo.

Początkowo wcale mi to nie doskwierało. Niby dlaczego miałoby mi przeszkadzać, skoro ten rodzaj istnienia był jedynym, jaki znałem? Nie mając żadnych wspomnień, nie bardzo zwracałem uwagę na to, gdzie byłem. Zastanawiałem się, czy przeżyję, czy nie, lecz moja obojętność w tej kwestii dawała mi większe poczucie pewności siebie. Nie miałem pojęcia o zasadach rządzących światem, w którym się znalazłem, ale wcale mi się nie spieszyło, żeby je poznać. Bo właściwie po co?

Nie wiem dokładnie, kiedy to się stało, ale w pewnej chwili uświadomiłem sobie, że otaczają mnie jakieś obiekty przestrzenne. Wyglądem przypominały korzenie, a może raczej naczynia krwionośne ogromnej, wypełnionej błotem macicy. Jarząc się ciemnym, przybrudzonym odcieniem czerwieni, przybywały z bardzo wysoka i podążały w inne, równie niewidoczne miejsce gdzieś w dole. Z perspektywy czasu mogę stwierdzić, że oglądałem je z pozycji kreta lub dżdżownicy ryjących głęboko w ziemi, lecz w jakiś niewytłumaczalny sposób zdolnych do obserwacji splątanych korzeni i otaczających je drzew.

Dlatego gdy później wróciłem myślami do tego miejsca, nazwałem je Krainą Widzianą z Perspektywy Dżdżownicy. Dość długo podejrzewałem, że tak właśnie wyglądał mój mózg z punktu widzenia atakujących go bakterii.

Im dłużej jednak zastanawiałem się nad tym wyjaśnieniem (przypominam, że było to dużo, dużo później), tym mniej sensowne mi się wydawało. Ponieważ – bardzo trudno coś takiego objąć wyobraźnią, jeżeli wcześniej nie było się w podobnym miejscu – podczas swojego pobytu w zaświatach wcale nie doświadczyłem rozmycia ani zniekształcenia świadomości. Była ona w pewnym sensie... ograniczona. Nie byłem człowiekiem. Nie byłem nawet zwierzęciem. Raczej jakąś wcześniejszą, bardziej prymitywną formą istnienia. A może po prostu samotnym punktem świadomości w bezczasowym, czerwonobrunatnym morzu?

Im dłużej tam przebywałem, tym bardziej nieswojo się czułem. Najpierw byłem tak głęboko zanurzony w błotnistej galarecie, że nie dostrzegałem żadnej różnicy między „mną" a na pół odrażającym, na pół znajomym środowiskiem, które mnie otaczało. Stopniowo uczucie głębokiego, bezczasowego i bezgranicznego zanurzenia ustąpiło czemuś innemu: wrażeniu, że tak naprawdę wcale nie jestem częścią tego podziemnego świata, lecz tkwię w nim jak w pułapce. Z błota raz za razem wychylały się karykaturalne, zwierzęce twarze, jęczały lub skrzeczały, a potem znów znikały. Sporadycznie słyszałem głuchy ryk. Czasami przechodził w niewyraźne, rytmiczne, monotonne melodie, które jednocześnie przerażały mnie i brzmiały upiornie znajomo, zupełnie jakbym kiedyś nie tylko je wszystkie znał, lecz także nucił.

Nie miałem żadnych wspomnień na temat swojej wcześniejszej egzystencji, więc czas spędzony w błotnistej krainie ciągnął się bez końca. Miesiące? Lata? Wieczność? Bez względu na odpowiedź dotarłem wreszcie do chwili, w której nieprzyjemne, oślizgłe odczucia zdecydowanie przeważały nad przytulną, by nie rzec domową atmosferą. Im bardziej odczuwałem własną odrębność – byt niezależny od otaczającego mnie chłodu, wilgoci i mroku – tym bardziej twarze, które z bulgotem wynurzały się z ciemności, stawały się dla mnie odpychające i groźne. Łoskot w oddali stał się wyraźniejszy i głośniejszy, jakby w jego rytmie tajemnicza podziemna armia trolli-robotników wykonywała jakieś niekończące się, straszliwie monotonne zadanie. Coraz słabiej widziałem ruch wokół siebie, za to wyczuwałem go coraz lepiej, jakby mijał mnie tłum przypominających gady lub robaki stworzeń, co jakiś czas łechtając mnie gładkimi lub kolczastymi ciałami.

Potem poczułem odór przypominający jednocześnie odchody, krew i wymioty. Zdradzał obecność czegoś organicznego, lecz była to raczej woń charakterystyczna dla śmierci, a nie dla życia. Moja świadomość wyostrzała się coraz bardziej, lecz jednocześnie ogarniał mnie coraz większy strach. Kimkolwiek lub czymkolwiek byłem, czułem się obco w tym miejscu. Chciałem stamtąd wyjść.

Ale dokąd?

Gdy tylko zadałem sobie to pytanie, z ciemności nade mną wynurzyło się coś nowego. Nie było zimne, martwe ani ciemne, lecz stanowiło dokładne przeciwieństwo wszystkich tych cech. Nawet gdybym przez resztę życia próbował, nigdy nie oddam sprawiedliwości istocie, która zbliżała się do mnie. Nie będę w stanie choćby pobieżnie opisać jej urody.

Mimo to spróbuję.

# 6

# ZAKOTWICZENIE W ŻYCIU

Phyllis dotarła na przyszpitalny parking około pierwszej w nocy, czyli niecałe dwie godziny po przyjeździe Ebena. W sali zastała mojego syna. Siedział na krześle przy moim łóżku i trzymał przed sobą szpitalną poduszkę, starając się nie zasnąć.

– Mama została w domu z Bondem – powiedział tonem, który jednocześnie zdradzał zmęczenie, napięcie i zadowolenie z jej przybycia.

Phyllis powiedziała mu, że powinien jechać do domu, bo jeżeli przez całą noc po przyjeździe z Delaware choć na chwilę się nie zdrzemnie, następnego dnia nikomu do niczego się nie przyda, a najmniej swojemu ojcu. Zatelefonowała do Holley i oświadczyła, iż posiedzi przy mnie przez całą noc.

– Jedź do domu. Mama, ciotka i brat cię potrzebują – powiedziała Ebenowi, gdy się rozłączyła. – Ja i twój tata będziemy tu jutro na ciebie czekali.

Eben spojrzał na mnie, na przezroczystą rurkę z tworzywa sztucznego wprowadzoną przez moje prawe nozdrze do tchawicy, na cienkie, popękane wargi, na zamknięte oczy i obwisłe mięśnie twarzy.

Phyllis od razu poznała, co myśli.

– Jedź do domu, Eben. Postaraj się nie martwić. Twój tata jeszcze z nami jest. A ja nigdzie go nie puszczę.

Przysiadła na skraju mojego łóżka, wzięła mnie za rękę i zaczęła ją gładzić. Mając do towarzystwa tylko maszyny oraz pielęgniarkę, która co godzinę sprawdzała odczyty na urządzeniach do podtrzymywania czynności życiowych, spędziła resztę nocy, starając się utrzymać ze mną fizyczny kontakt, tak ważny, jeżeli miałem wrócić do zdrowia.

Stwierdzenie, że w życiu ludzi amerykańskiego Południa dużą rolę odgrywa rodzina, pachnie stereotypem, ale podobnie jak wiele stereotypów, jest prawdziwe. Gdy w 1988 roku rozpocząłem studia na Harvardzie, jedną z pierwszych rzeczy, jakie zauważyłem u mieszkańców pochodzących z północy naszego kraju, było to, że z nieco większą powściągliwością podchodzą do zupełnie naturalnej na Południu zależności: dzięki rodzinie jesteśmy tym, kim jesteśmy.

Przez całe życie moje więzi rodzinne – najpierw z rodzicami i siostrami, a potem z Holley, Ebenem i Bondem – zawsze stanowiły dla mnie bardzo ważne źródło siły i oazę stabilności. W ostatnich latach uczucie to nawet przybrało na sile. Właśnie do rodziny zwracałem się, szukając bezwarunkowego wsparcia w świecie, w którym – zarówno na Północy, jak i na Południu – tak bardzo go brakuje.

Do kościoła chodziliśmy od wielkiego dzwonu – niewiele częściej niż na Boże Narodzenie i na Wielkanoc. Chociaż przypominałem synom o odmawianiu wieczornych modlitw, zdecydowanie nie zasługiwałem w naszym domu na miano duchowego przewodnika. Nigdy tak naprawdę nie pozbyłem się wątpliwości co do istnienia świata duchowego. Mimo iż dorastałem, pragnąc wierzyć w Boga, w niebo i w życie pozagrobowe, podczas kilkudziesięciu lat spędzonych w rygorystycznym świecie akademickiej neurochirurgii zwątpiłem w istnienie czegoś, co moglibyśmy nazwać duchowym wymiarem naszej egzystencji. Współczesna neurobiologia utrzymuje, że to mózg daje początek świadomości – umysłowi, duszy, duchowi lub jakkolwiek inaczej zechcemy nazwać tę niewidzialną, nieuchwytną część nas, która sprawia, że faktycznie jesteśmy tacy, jacy jesteśmy – a ja nie miałem powodów, by podejrzewać, iż jest inaczej.

Podobnie jak większość przedstawicieli zawodów medycznych, którzy mają bezpośrednio do czynienia z umierającymi pacjentami i ich rodzinami, słyszałem opowiadania, a nawet byłem świadkiem pewnych niewytłumaczalnych zdarzeń. Szufladkowałem je jednak jako „niewyjaśnione" i nie zawracałem sobie nimi głowy. Podejrzewałem, że wszystkie mają jakieś zdroworozsądkowe wyjaśnienie.

Nie, nie miałem nic przeciwko wierze w zjawiska nadprzyrodzone. Jako lekarz niemal codziennie obcowałem z niewiarygodnym cierpieniem fizycznym i emocjonalnym i ostatnią rzeczą, jaką chciałbym zrobić, byłoby odebranie komukolwiek nadziei i pociechy, jakie przynosi tego rodzaju wiara. Prawdę mówiąc, ucieszyłbym się, gdyby była mi dana jej choć odrobina.

Jednak w miarę upływu lat uznawałem to za coraz mniej prawdopodobne. Podobnie jak ocean podmywający plażę, naukowy światopogląd stopniowo, lecz systematycznie podkopywał moją gotowość do uwierzenia w świat niematerialny. Nauka systematycznie dostarcza dowodów na poparcie tezy, że rola, jaką odgrywamy we wszechświecie, zbliża się do zera. Dobrze byłoby w coś wierzyć. Ale nauka nie zajmuje się tym, co byłoby dobrze, lecz tym, co jest.

Jestem kinestetykiem, to znaczy, że wszelkie umiejętności nabywam w ruchu. Jeżeli nie mogę czegoś poczuć ani dotknąć, trudno mi się tym zainteresować. Marzenia o dotknięciu tego, co staram się zrozumieć, wraz z pragnieniem dorównania ojcu skierowały mnie ku neurochirurgii. Mimo iż mózg człowieka funkcjonuje w bardzo abstrakcyjny i tajemniczy sposób, jest też jednocześnie niewiarygodnie konkretny. Jako student medycyny na Uniwersytecie Duke'a z niekłamaną radością oglądałem pod mikroskopem delikatne, wydłużone komórki nerwowe tworzące między sobą połączenia synaptyczne, dające początek świadomości. Uwielbiałem kombinację abstrakcyjnej wiedzy i namacalnej fizyczności stanowiącą o istocie neurochirurgii. Chcąc uzyskać dostęp do mózgu, trzeba odsunąć na bok warstwy skóry i tkanek osłaniających czaszkę, a potem użyć pewnego urządzenia produkowanego przez firmę Midas Rex. To niesłychanie skomplikowany, by nie rzec wyrafinowany sprzęt, a do tego bardzo drogi. Lecz gdy weźmie się go do ręki, wyraźnie widać, że to po prostu... wysokoobrotowa wiertarka.

Analogicznie, wszelkie interwencje chirurgiczne w mózgu, chociaż zaliczają się do nadzwyczaj złożonych zabiegów, nie różnią się aż tak bardzo od naprawy dowolnego innego, bardzo delikatnego urządzenia elektrycznego. Doskonale wiedziałem, czym jest mózg – maszyną wytwarzającą świadomość. Oczywiście naukowcy jeszcze nie wiedzą, w jaki sposób miliardy komórek nerwowych generują to zjawisko, ale uważałem, że tego rodzaju odkrycie jest kwestią czasu. Codziennie dostrzegałem tego dowody w sali operacyjnej. Pacjent zgłasza się do lekarza z bólem głowy i z obniżonym poziomem świadomości. Lekarz wykonuje obrazowanie mózgu metodą rezonansu magnetycznego i odkrywa guza. Pacjentowi podaje się znieczulenie ogólne, usuwa patologiczną zmianę, a kilka godzin później pacjent znów budzi się do życia. Nie boli go głowa, nie ma też żadnych kłopotów ze świadomością. Pozornie nic prostszego.

Uwielbiałem tę prostotę, bezwzględną uczciwość oraz czystość nauki. Szanowałem ją za to, że nie znosi urojeń ani braku dyscypliny w myśleniu. Jeżeli ktoś w ogólnie przyjęty sposób przedstawia rzetelne dowody na istnienie jakiegoś zjawiska, uznajemy je za fakt naukowy. Jeżeli nie, odrzucamy je.

Takie podejście pozostawia bardzo niewiele miejsca na duszę, ducha oraz na istnienie odrębnej tożsamości u człowieka po tym, gdy mózg, który ją wytwarzał, przestanie działać. Jeszcze mniej miejsca pozostaje na pojęcie, o którym raz po raz wspomina się w kościołach: życie wieczne.

Dlatego tak bardzo polegałem na rodzinie – na Holley, na naszych synach, na trzech siostrach i oczywiście na rodzicach. Nie mógłbym wykonywać swojego zawodu ani oglądać rzeczy, które oglądałem, bez pokładów miłości i zrozumienia, z których mogłem czerpać do woli.

Właśnie dlatego tamtej nocy Phyllis (po odbyciu rozmowy telefonicznej z Betsy) obiecała mi coś w imieniu całej rodziny. Trzymając moją bezwładną, niemal martwą rękę w swojej dłoni, dała mi słowo, że bez względu na wszystko ktoś zawsze będzie siedział przy moim łóżku i trzymał mnie za rękę.

– Nie puścimy cię, Eben. Jesteś nam tu potrzebny – mówiła. – A ty potrzebujesz kotwicy, która zatrzyma cię z nami na tym świecie. My będziemy taką kotwicą.

Nie miała pojęcia, jak ważne miało się okazać to przyrzeczenie.

7

# WIRUJĄCA MELODIA I TUNEL

Coś pojawiło się w mroku.

Obracając się powoli, promieniowało zwiewnymi włóknami biało-złotego światła. Otaczająca mnie ciemność zaczęła się stopniowo rozstępować i rozpraszać.

Potem pojawiły się dźwięki, żywe dźwięki – najbardziej porywające, najbardziej misterne, najpiękniejsze dzieło muzyczne, jakie kiedykolwiek słyszałem. W miarę jak czyste, białe światło zniżało się ku mnie, muzyka stawała się coraz głośniejsza. Zagłuszała monotonny mechaniczny łoskot, który przez całą wieczność wydawał się moim jedynym towarzyszem.

Źródło światła zbliżało się coraz bardziej. Wirując, emitowało czyste, białe promienie, zza których, jak teraz zauważyłem, gdzieniegdzie połyskiwało złoto.

W samym środku poświaty ukazało się coś jeszcze. Zogniskowałem świadomość najsilniej, jak potrafiłem, starając się domyślić, co to takiego.

Otwór. Już nie patrzyłem na powoli wirujące światło, lecz przez nie.

W chwili gdy to pojąłem, zacząłem się piąć w górę. Bardzo szybko. Rozległ się świst. W mgnieniu oka przemknąłem przez otwór i znalazłem się w zupełnie nowym świecie. Najdziwniejszym, najpiękniejszym świecie, jakie kiedykolwiek widziałem.

Tętniący życiem i energią, ekstatyczny, zdumiewający, olśniewający... Mógłbym dorzucać jeden przymiotnik po drugim, żeby opisać jego wygląd, ale żaden z nich nie oddałby tego, czego tam doświadczyłem. Miałem wrażenie, że się rodzę. Nie odradzam się ani nie rodzę na nowo. Po prostu jakbym... się rodził po raz pierwszy.

Poniżej zauważyłem piękną okolicę tonącą w bujnej zieleni. Przypominała mi wiejskie krajobrazy znane z ziemi. Jednocześnie była... i nie była ziemią. Przyglądając się jej, czułem to samo, co czuje ktoś, kto odwiedza miejsce, w którym spędził kilka lat, będąc bardzo małym dzieckiem. Początkowo nie poznaje go, przynajmniej tak mu się wydaje. Lecz gdy rozejrzy się lepiej, coś zwraca jego uwagę. Nagle zdaje sobie sprawę, że jednak pamięta to miejsce, i bardzo się cieszy z powrotu.

Leciałem. Mijałem drzewa, pola, strumienie i wodospady. Gdzieniegdzie widziałem ludzi. Były też roześmiane, rozbawione dzieci. Zgromadzone w kręgi grupy ludzi śpiewały i tańczyły. Niekiedy dostrzegałem wśród nich psy. Biegały i skakały, tak samo jak ludzie promieniejąc radością. Ludzie nosili proste, lecz piękne stroje. Miałem wrażenie, że barwy tkanin emanowały takim samym żywym ciepłem jak drzewa i kwiaty nieustannie rozkwitające wokół nich.

Piękny, niewiarygodny świat ze snów...

Tylko że to nie był sen. Chociaż nie wiedziałem, gdzie się znalazłem ani czym byłem, żywiłem absolutne przekonanie co do jednego: miejsce, do którego trafiłem tak niespodziewanie, istniało w rzeczywistości.

Słowo „rzeczywistość" nie za bardzo nadaje się do wyrażenia tego, co próbuję opisać, dlatego znów posłużę się porównaniem. Wyobraźcie sobie, że jesteście dziećmi i w letni dzień wybraliście się do kina na dobry film. Gdy seans się skończył, wybiegliście z kina prosto w tętniące życiem, barwne, urzekające, ciepłe letnie popołudnie. Oddychając świeżym, pachnącym powietrzem i ciesząc się słońcem, zastanawiacie się, po co właściwie zmarnowaliście tyle godzin, siedząc w mrocznym kinie.

Gdybyście teraz pomnożyli to uczucie tysiąc razy, nadal nie zbliżylibyście się do tego, co wtedy czułem.

Nie wiem dokładnie, jak długo leciałem. (Czas w tym miejscu płynął inaczej niż zwykły liniowy czas, według którego żyjemy na ziemi, i tak samo beznadziejnie trudno go opisać jak wszystkie pozostałe cechy tamtego świata). W pewnej chwili zorientowałem się, że nie jestem sam.

Obok mnie znajdowała się piękna dziewczyna. Natychmiast zwróciłem uwagę na jej wydatne kości policzkowe i ciemnoniebieskie oczy. Miała na sobie takie samo proste ubranie w rustykalnym stylu, jakie nosili widziani przeze mnie wcześniej ludzie. Jej zachwycającą twarz okalały pukle złotobrązowych włosów. Razem dosiadaliśmy czegoś płaskiego, pokrytego skomplikowanymi wzorami o nieopisanie żywych barwach. Okazało się, że to skrzydło motyla.

Rzeczywiście wokół nas znajdowały się miliony motyli – ogromne fale trzepoczących motylich skrzydeł, co jakiś czas opadające w dół ku zieleni, a potem powracające w górę ku nam. Nie widziałem pojedynczego, konkretnego motyla, lecz wszystkie razem, jakby żywą rzekę barw unoszącą się w przestrzeni. Lecieliśmy spokojnie w luźnym szyku. Mijaliśmy kwitnące kwiaty i pąki na drzewach, które otwierały się, gdy tylko podlecieliśmy bliżej.

Jak już wspomniałem, dziewczyna miała na sobie prosty strój, lecz jego barwy – jasnoniebieska, indygo i pastelowy odcień pomarańczowobrzoskwiniowej – promieniowały taką samą nieprzepartą, niesamowitą żywością jak wszystko, co nas otaczało. Gdybyście zobaczyli jej spojrzenie, uznalibyście je za najpiękniejszą nagrodę za wszystko, co dotychczas w życiu przeszliście. Patrzyła na mnie, ale nie było to romantyczne spojrzenie. Nie zdradzało też przyjaźni. W pewnym sensie przewyższało... wykraczało poza wszelkie rodzaje miłości znane nam na ziemi. Kryło w sobie wszystkie jej odmiany, a jednocześnie było od nich bardziej prawdziwe i czyste.

Mówiła do mnie, nie używając słów. To, co chciała mi przekazać, przenikało mnie jak wiatr. Od razu zrozumiałem, że mówi prawdę. Wiedziałem o tym tak samo, jak wiedziałem, że świat wokół nas był czymś realnym, a nie przelotnym i pozbawionym głębi wytworem fantazji.

Przesłanie miało trzy części i gdybym miał je przetłumaczyć na język ziemski, powiedziałbym, że brzmiało mniej więcej tak:

– Otacza cię miłość i pełna czułości opieka. Na zawsze.

– Nie masz się czego lękać.

– Nie możesz zrobić nic złego.

Przesłanie to przepełniło mnie ogromnym, wręcz szalonym poczuciem ulgi. Zupełnie jakbym właśnie otrzymał zestaw reguł gry, w którą grałem przez całe życie, lecz nigdy w pełni jej nie rozumiałem.

– Pokażemy ci tu wiele różnych rzeczy – powiedziała dziewczyna. Podobnie jak przedtem, nie używała słów, lecz bezpośrednio przekazywała mi ich sens. – Ale na koniec wrócisz.

Miałem tylko jedno pytanie.

Dokąd mam wrócić?

Pamiętajcie, kto pisze te słowa. Nie zaliczam się do nierozgarniętych sentymentalistów. Wiem, jak wygląda śmierć. Wiem, jak to jest, gdy żywa osoba, z którą w lepszych czasach rozmawiałem i żartowałem, po kilkugodzinnych próbach naprawy mechanizmu jej ciała na stole operacyjnym zmienia się w pozbawione życia zwłoki. Wiem, jak wygląda cierpienie, nieraz widziałem niewypowiedziany smutek na twarzach ludzi, którzy stracili ukochaną osobę – kogoś, kto po prostu nie mógł odejść tak wcześnie. Znam biologię organizmu człowieka i mimo że nie jestem fizykiem, nie jestem też zupełnym dyletantem w tej dziedzinie. Wiem, na czym polega różnica między fantazją i rzeczywistością, dlatego z takim trudem staram się przedstawić ten mało wyraźny, dalece niewystarczający obraz najbardziej rzeczywistego doznania w moim życiu.

Prawdę mówiąc, w kategorii realności może z nim konkurować tylko to, co stało się później.

# 8

# IZRAEL

Następnego dnia przed ósmą rano Holley wróciła do szpitala. Zastąpiła Phyllis, zajmując jej miejsce przy moim łóżku, i ścisnęła moją nadal niereagującą na żadne bodźce dłoń. Tuż po jedenastej przybył pastor Michael Sullivan. Wszyscy otoczyli mnie kołem. Betsy trzymała mnie za drugą rękę, więc również w pewnym sensie zostałem włączony do kręgu. Michael poprowadził modlitwę. Miała się właśnie ku końcowi, gdy ze znajdującego się piętro niżej laboratorium dostarczono najnowsze wyniki badań. Mimo wprowadzonej w nocy zmiany dawek antybiotyków liczba białych krwinek nadal rosła. Oznaczało to, że bakterie wciąż bez przeszkód ucztowały w moim mózgu.

Lekarzom zaczynało brakować pomysłów na dalszą terapię, więc po raz kolejny bardzo szczegółowo odpytali Holley, co robiłem w ciągu kilku ostatnich dni. Następnie sięgnęli nieco głębiej w przeszłość. Czy w ciągu kilku ostatnich tygodni robiłem coś – cokolwiek – co mogłoby im pomóc zrozumieć przyczyny stanu, w jakim się znalazłem?

– No cóż – odpowiedziała Holley – kilka miesięcy temu był służbowo w Izraelu.

Na te słowa doktor Brennan uniósł głowę znad notatnika. Komórki pałeczki okrężnicy potrafią wymieniać materiał genetyczny nie tylko z innymi bakteriami swojego gatunku, lecz także z innymi drobnoustrojami Gram-ujemnymi. Ma to poważne następstwa, zwłaszcza obecnie, w czasach wzrostu popularności podróży po całym świecie, powszechnego stosowania antybiotyków oraz szybko mutujących nowych chorób wywoływanych przez różne gatunki bakterii. Jeżeli kolonia pałeczek okrężnicy znajdzie się w nieprzyjaznym środowisku biologicznym wraz z innymi, lepiej przystosowanymi mikroorganizmami, może od nich pobrać potrzebne DNA i wykorzystać go do swoich celów.

W 1996 roku lekarze odkryli nowy szczep bakterii Klebsiella pneumoniae posiadający gen zwany KPC, odpowiedzialny za wytwarzanie karbapenemaz, czyli enzymów dających swojemu nosicielowi odporność na antybiotyki beta-laktamowe. Jego obecność stwierdzono w żołądku pacjenta, który zmarł w jednym ze szpitali w Karolinie Północnej. Natychmiast zwrócili na niego uwagę lekarze na całym świecie, gdy okazało się, że karbapenemazy mogą dawać bakteriom odporność nie tylko na niektóre, lecz na wszystkie obecnie stosowane antybiotyki.

Gdyby zjadliwy, odporny na działanie antybiotyków szczep bakterii (którego niezjadliwy kuzyn bytuje w naszych ciałach) przedostał się do populacji ogólnej, bylibyśmy zupełnie bezbronni. Koncerny farmaceutyczne na razie nie mają (i przez najbliższe dziesięć lat nie będą miały) w swoim arsenale żadnych nowych antybiotyków, które mogłyby nas uratować.

Doktor Brennan wiedział, że kilka miesięcy wcześniej do pewnego szpitala przyjęto pacjenta z poważnym zakażeniem bakterią Klebsiella pneumoniae. W celu opanowania infekcji podano mu kilka bardzo silnych antybiotyków, lecz jego stan wciąż się pogarszał. Zapalenie płuc nie ustępowało. Leki okazały się nieskuteczne. Badania wykazały, że bakterie bytujące w jelicie grubym tego pacjenta pobrały gen KPC od szczepu opornego na leki za pośrednictwem plazmidu. Innymi słowy, drobnoustroje zamieniły ciało mężczyzny w laboratorium służące do stworzenia nowego gatunku, który w razie przedostania się do populacji ogólnej mógłby rywalizować z czarną śmiercią – dżumą – która zabiła połowę ludności Europy w XIV wieku.

Szpital, w którym znalazł się pacjent, nosił imię Eliasa Sourasky'ego i znajdował się w Tel Awiwie. Opisywane zdarzenie miało miejsce zaledwie kilka miesięcy wcześniej, mniej więcej w tym samym czasie, gdy przebywałem w Izraelu jako koordynator światowych badań w dziedzinie neurochirurgii wspomaganej techniką ultrasonograficzną. Wylądowałem w Jerozolimie o trzeciej piętnaście nad ranem. Po zmianie stref czasowych nie czułem zmęczenia, więc po zameldowaniu się w hotelu wybrałem się na zwiedzanie starego miasta. Przed świtem odbyłem samotny spacer wzdłuż Via Dolorosa i odwiedziłem miejsce, w którym według tradycji odbyła się Ostatnia Wieczerza.

Poczułem dziwne wzruszenie, a gdy wróciłem do USA, często rozmawialiśmy o tym z Holley. Nie miałem wtedy pojęcia o pacjencie w telawiwskim szpitalu ani o bakteriach, którymi się zaraził. Jak się okazało, zmutowanym drobnoustrojem, który przejął gen oporności na antybiotyki, była pałeczka okrężnicy.

Czy mogłem się zarazić właśnie tym szczepem bakterii podczas pobytu w Izraelu? Mało prawdopodobne. Ale to wyjaśniałoby przyczynę oporności mojego zakażenia na terapię, więc lekarze natychmiast zlecili kolejne badania. Chcieli się przekonać, czy to zmutowana pałeczka okrężnicy zaatakowała mój mózg. Właśnie pojawiła się pierwsza z wielu przyczyn, dla których mój przypadek miał trafić do historii medycyny.

## 9

# JĄDRO

Tymczasem znalazłem się wśród chmur.

Dużych, puszystych, białoróżowych, ostro kontrastujących z ciemnogranatowym niebem.

Wyżej niż chmury – nieskończenie wyżej – krążyły gromady przeźroczystych kul. Połyskujące istoty kreśliły łuki na tle nieboskłonu, pozostawiając za sobą długie ślady przypominające wstęgi zórz.

Ptaki? Anioły? Te słowa przyszły mi do głowy, gdy zapisywałem swoje wspomnienia. Ale żadne z nich nie oddaje sprawiedliwości istotom, które zdecydowanie różniły się od wszystkiego, co dotąd widziałem na tej planecie. Reprezentowały wyższy poziom rozwoju. Były doskonalsze.

Z góry dochodziły mnie dźwięki, potężne i głębokie, jak przepiękna wielogłosowa pieśń. Zastanawiałem się, czy przypadkiem nie wykonywały jej skrzydlate istoty. Gdy później się nad tym zastanawiałem, przyszło mi do głowy, że te szybujące w górze stworzenia musiały w jakiś sposób wyrazić swoją radość. Gdyby nie dały jej upustu, po prostu rozsadziłaby je wewnętrzna energia. Dźwięk był wyczuwalny, niemal materialny, jak drobne kropelki deszczu na skórze, które jednak nas nie moczą.

W miejscu, w którym się znajdowałem, słuch i wzrok nie funkcjonowały jak osobne zmysły. Słyszałem srebrzyste, skrzące się piękno istot pod nieboskłonem i przyglądałem się harmonijnym, radosnym falom ich śpiewu. Miałem wrażenie, że w tym świecie nie da się patrzeć ani słuchać, nie stając się jednocześnie jego częścią, nie łącząc się z nim w jakiś tajemniczy sposób. Z mojej obecnej perspektywy posunąłbym się nawet do stwierdzenia, iż w tamtym świecie nie można było zasadniczo na nic patrzeć, gdyż słowo to samo w sobie sugeruje rozdział, który tam nie istniał. Na pozór osobne byty stanowiły jednocześnie część innych, jak wielowymiarowe, przenikające się nawzajem wzory na perskim dywanie... lub na skrzydle motyla.

Zerwał się ciepły wietrzyk, z rodzaju tych, które rodzą się w najpiękniejsze letnie dni, potrząsając liśćmi drzew jak niebiańska woda. Boski zefir. Jego powiew zmienił wszystko. Uniósł otaczający mnie świat o oktawę wyżej, wprawiając go w intensywniejsze wibracje.

Chociaż nadal władałem językiem w bardzo ograniczonym zakresie – przynajmniej w takim sensie, w jakim znamy go na ziemi – zacząłem bezsłownie zadawać pytania wiatrowi i boskiemu bytowi, którego sprawczą obecność wyczułem za nim lub w nim.

Gdzie jestem?

Kim jestem?

Dlaczego tu jestem?

Za każdym razem, gdy milcząco stawiałem jedno z tych pytań, odpowiedź pojawiała się natychmiast w postaci eksplozji światła, feerii barw, miłości i piękna, która przenikała mnie jak ogromna fala. Muszę tu zaznaczyć, że energia eksplozji, o których mówię, wcale nie zagłuszała moich pytań. Otrzymywałem odpowiedzi bez użycia języka. Bezpośrednio odbierałem myśli, lecz nie przypominały one wyobrażeń, jakimi posługujemy się w naszym świecie. Nie były niewyraźne, niematerialne ani abstrakcyjne. Były namacalne i konkretne – gorętsze niż ogień i bardziej wilgotne niż woda – a w chwili, gdy do mnie docierały, natychmiast i bez wysiłku pojmowałem idee, których zrozumienie na ziemi zabrałoby mi całe lata.

Nadal podążałem naprzód. Zorientowałem się, że wnikam w gigantyczną próżnię, mroczną, o nieskończonym zasięgu, lecz jednocześnie niosącą ukojenie. W ciemności dostrzegłem światło, którego źródłem była zapewne lśniąca kula, której obecność wyczuwałem obok. Obecność żyjącej kuli była prawie tak samo namacalna jak pieśni anielskich istot.

Znalazłem się w sytuacji do pewnego stopnia przypominającej położenie płodu w łonie matki. Otoczony przez wody płodowe embrion za pośrednictwem pępowiny łączy się z milczącym wspólnikiem – łożyskiem – które żywi go i pośredniczy w relacjach z zawsze obecną, choć niewidoczną matką. W tym wypadku „matką” był Bóg, Stwórca, Źródło odpowiedzialne za stworzenie wszechświata i wszystkiego, co w nim istnieje. Znalazłem się bardzo blisko tego Bytu. Miałem wręcz wrażenie, że nie dzieli nas żadna odległość. Jednocześnie czułem jednak ogrom nieskończoności Stwórcy, widziałem, jak maleńką drobiną jestem w porównaniu z nim. Niekiedy będę używał słowa Om jako zaimka odnoszącego się do Boga, ponieważ użyłem go po raz pierwszy w notatkach, które zacząłem sporządzać po wybudzeniu ze śpiączki. Zapamiętałem jego związek z wszechwiedzącym, wszechmocnym i bezwarunkowo kochającym Bogiem, lecz, jak wcześniej wspomniałem, nie dysponuję słowami, które mogłyby go opisać bardziej precyzyjnie.

Jak się zorientowałem, bezkres oddzielający mnie od Oma był przyczyną, dla której towarzyszyła mi Kula. Nie potrafiłem tego do końca zrozumieć, lecz jednocześnie byłem pewien, że jest ona kimś w rodzaju „tłumacza", pośrednika między mną a niezwykłą istotą, która mnie otaczała.

Miałem wrażenie, że rodzę się w większym świecie. Wszechświat odgrywał rolę olbrzymiego kosmicznego łona, a Kula (w jakiś sposób powiązana z Dziewczyną na Skrzydle Motyla; później okazało się, iż rzeczywiście to była ona) pełniła funkcję mojego przewodnika.

Później, po powrocie na ziemię, znalazłem cytat z siedemnastowiecznego chrześcijańskiego poety Henry'ego Vaughana, który bardzo precyzyjnie opisał to miejsce. W ogromnym atramentowym jądrze przebywała Istota Boska.

„Niektórzy mówią, że jest w Bogu głęboka ciemność, która lśni..."

Doskonale to ujął: atramentowa ciemność przepełniona światłem.

Zadawałem pytania i otrzymywałem odpowiedzi. Chociaż cały proces odbywał się bez słów, „głos" Bytu był ciepły i – wiem, jak dziwne to zabrzmi – osobowy. Rozumiał ludzi i miał typowo ludzkie przymioty, choć w nieskończenie większym stopniu. Wiedział o mnie wszystko. Emanował cechami, które zawsze kojarzyły mi się wyłącznie z istotami ludzkimi: serdecznością, współczuciem, smutkiem... a nawet ironią i humorem.

Za pośrednictwem Kuli Om powiedział mi, że nie istnieje jeden, lecz wiele wszechświatów – o wiele więcej, niż mógłbym sobie wyobrazić – a osią ich wszystkich jest miłość. We wszystkich istnieje także zło, lecz wyłącznie w śladowych ilościach. Jest konieczne, ponieważ bez niego nie istniałaby wolna wola, a bez wolnej woli nie ma rozwoju, nie ma postępu, a więc nie moglibyśmy zostać tym, czym pragnie widzieć nas Bóg. Chociaż w świecie takim jak nasz wszechmoc zła czasami przeraża, w obrazie całości dominuje miłość i to właśnie ona ostatecznie zatriumfuje.

W niezliczonych wszechświatach oglądałem niezmierne bogactwo form życia. Inteligencja niektórych spośród nich przewyższała naszą. Widziałem niezliczone wyższe wymiary, lecz jedynym sposobem ich poznania było wniknięcie do ich wnętrza i doświadczenie ich bezpośrednio. Nie można ich poznać ani zrozumieć z poziomu przestrzeni o niższych wymiarach. W krainach wyższego rzędu istnieją związki przyczynowo-skutkowe, ale działają inaczej niż na ziemi. Natomiast czas i przestrzeń, w których się poruszamy w naszym świecie, bardzo ściśle i misternie zazębiają się ze swoimi odpowiednikami w wyższych światach. Innymi słowy, światy te nie są zupełnie odcięte od naszego, ponieważ wszystkie stanowią część tej samej nadrzędnej boskiej Rzeczywistości. Z wyższych wymiarów można dotrzeć do każdego czasu oraz miejsca w naszym świecie.

Prawdopodobnie do końca życia nie uda mi się rozpakować wszystkiego, czego się dowiedziałem podczas tej podróży. Przekazanej mi wiedzy nie „uczyłem się" tak jak faktów na lekcji historii ani nie starałem się zrozumieć tak jak twierdzeń matematycznych. Wnikliwe zrozumienie przychodziło bezpośrednio, nie wymagało perswazji ani przyswajania. Wiedza pojawiała się bez konieczności zapamiętywania, natychmiast i pozostawała ze mną na zawsze. Nie zacierała się, jak to bywa w naszym świecie. Po dzień dzisiejszy przechowuję ją całą w pamięci, i to o wiele wyraźniej niż informacje oraz umiejętności uzyskane podczas wszystkich lat spędzonych w szkole.

Nie chcę jednak przez to powiedzieć, że mogę uzyskać dostęp do niej, kiedy tylko zechcę. Wróciłem na ziemię, więc muszę najpierw przetworzyć tę wiedzę za pomocą niedoskonałych narzędzi – ciała i mózgu. Ale ona jest we mnie. Czuję, że została wpisana w samą istotę mojego bytu. Człowiekowi takiemu jak ja, który nie szczędził trudu, ucząc się w tradycyjny sposób, odkrycie bardziej zaawansowanego poziomu poznania dało do myślenia na wiele lat...

Niestety, moja rodzina i lekarze na ziemi znajdowali się w zupełnie innym położeniu.

## 10

# TO, CO SIĘ LICZY

Holley nie mogła nie zauważyć nagłego zaciekawienia lekarzy, gdy wspomniała o mojej podróży do Izraela. Oczywiście nie miała pojęcia, dlaczego uznali tę informację za tak ważną. Z perspektywy czasu sądzę, iż dobrze się stało. Wystarczająco dużym obciążeniem psychicznym była dla niej myśl o grożącej mi śmierci. Nie musiała wiedzieć, że najprawdopodobniej stanowiłem przypadek wskaźnikowy – to znaczy byłem jedynym nosicielem – choroby będącej odpowiednikiem czarnej śmierci w XXI wieku.

O mojej chorobie dowiadywało się coraz więcej przyjaciół i członków rodziny.

Dotyczyło to również mojej biologicznej rodziny.

Jako młody chłopiec podziwiałem ojca, który przez dwadzieścia lat był ordynatorem oddziału neurochirurgii Szpitala Baptystów w Wake Forest w Winston-Salem. Wybrałem karierę akademicką w tej samej dziedzinie, pragnąc pójść w jego ślady, mimo iż wiedziałem, że nigdy mu nie dorównam.

Mój ojciec był człowiekiem głęboko wierzącym. Podczas drugiej wojny światowej służył jako chirurg w siłach powietrznych w dżunglach Nowej Gwinei i Filipin. Był świadkiem okrucieństw i sam wiele wycierpiał. Opowiadał mi o nocach spędzonych na operowaniu rannych żołnierzy w namiotach, które ledwo wytrzymywały pod naporem monsunowych deszczów. Upał i wilgotność powietrza dawały się tak bardzo we znaki, że lekarze rozbierali się do bielizny, by móc je znieść.

Poślubił miłość swojego życia (i córkę swojego dowódcy), Betty, w październiku 1942 roku, podczas szkolenia przed wyjazdem na wojnę na Pacyfiku. Pod koniec wojny jego pułk był jednym z pierwszych oddziałów alianckich okupujących Japonię po zrzuceniu przez Stany Zjednoczone bomb atomowych na Hiroszimę i Nagasaki. Jako jedynego amerykańskiego wojskowego neurochirurga w Tokio oficjalnie uznano go za osobę niezbędną, zwłaszcza że potrafił również wykonywać operacje laryngologiczne.

Właśnie z powodu tych kwalifikacji przez dłuższy czas nie mógł opuszczać jednostki. Nowy dowódca nie pozwalał mu na powrót do USA, dopóki „sytuacja się nie ustabilizuje". Kilka miesięcy po podpisaniu aktu kapitulacji Japonii na pancerniku USS Missouri w Zatoce Tokijskiej ojciec wreszcie uzyskał rozkaz umożliwiający mu powrót do domu. Jednak wiedział, że jego bezpośredni przełożony doprowadziłby do anulowania tego rozkazu, gdyby go zobaczył. Dlatego ojciec odczekał do najbliższego weekendu, gdy dowódca wyjechał na krótki wypoczynek, i przedstawił dokument zastępcy. Dopiero w grudniu 1945 roku wsiadł na statek płynący do USA. Większość jego kolegów z wojska już dawno dołączyła do swoich rodzin.

Po powrocie do USA na początku 1946 roku wraz z Donaldem Matsonem – kolegą z roku ze studiów medycznych, który właśnie skończył służbę w Europie – rozpoczął specjalizację w dziedzinie neurochirurgii. Praktykę odbywał w Bostonie w Szpitalu imienia Petera Brighama oraz Szpitalu Dziecięcym (flagowych klinikach Harvardzkiej Akademii Medycznej) pod kierunkiem doktora Franca D. Ingrahama, jednego z ostatnich rezydentów szkolonych przez doktora Harveya Cushinga, ojca współczesnej neurochirurgii. W latach pięćdziesiątych i sześćdziesiątych korpus neurochirurgów „3131C" (według urzędowej klasyfikacji sił powietrznych), którzy doskonalili swoje umiejętności na polach bitew Europy i Pacyfiku, ustanowił standardy postępowania na całe półwiecze dla kolejnego pokolenia neurochirurgów, w tym dla mojego.

Moi rodzice dorastali w czasach wielkiego kryzysu, więc ciężka praca była dla nich chlebem powszednim. Ojciec prawie zawsze wracał do domu o siódmej wieczorem, żeby zjeść z rodziną obiad. Zwykle pojawiał się w garniturze i pod krawatem, ale raz na jakiś czas miał na sobie fartuch chirurga. Potem wracał do szpitala, często zabierając jedno z nas, dzieci, ze sobą. Odrabialiśmy zadania domowe w jego gabinecie, podczas gdy on odwiedzał pacjentów. Życie i praca były dla niego tożsame i wychowywał nas w takim samym duchu. W niedzielę często kazał nam, dzieciom, pracować w ogródku. Gdy narzekaliśmy, że wolelibyśmy iść do kina, odpowiadał:

– Jeżeli pójdziecie do kina, ktoś inny będzie musiał to zrobić.

Był również niesamowicie ambitny. Każdy mecz squasha traktował jak walkę na śmierć i życie. Nawet po osiemdziesiątce poszukiwał nowych przeciwników, często o kilkadziesiąt lat młodszych.

Pamiętam go jako wymagającego, lecz jednocześnie wspaniałego ojca. Każdego człowieka traktował z szacunkiem, a w kieszeni lekarskiego fartucha zawsze nosił śrubokręt, by w razie czego dokręcić jakiś obluzowany wkręt, który umknął uwadze szpitalnego konserwatora. Uwielbiali go pacjenci, koledzy po fachu, pielęgniarki i cały personel. Bez względu na to, czy operował pacjentów, prowadził badania, szkolił neurochirurgów (co uważał za swoją misję), czy też redagował pismo „Surgical Neurology" (przez kilka lat), podążał wyraźnie wytyczonym szlakiem. Nawet gdy wieku siedemdziesięciu jeden lat przestał operować, nadal interesował się najnowszymi osiągnięciami w swojej dziedzinie. Po jego śmierci w 2004 roku długoletni współpracownik doktor David L. Kelly junior napisał: „Na zawsze zapamiętamy doktora Alexandra za jego entuzjazm, techniczną maestrię, wytrwałość i dbałość o szczegóły, empatię, uczciwość i dążenie do perfekcji we wszystkim, co robił". Trudno się więc dziwić, że podziwiałem go, podobnie jak wielu innych.

Dość wcześnie – prawdę mówiąc, tak wcześnie, że zupełnie nie pamiętam tej chwili – rodzice powiedzieli mi, iż zostałem adoptowany (a raczej „wybrany", ponieważ, jak mnie zapewniali, gdy tylko mnie zobaczyli, uznali mnie za swoje dziecko). Co prawda nie byli moimi biologicznymi rodzicami, ale bardzo mnie kochali, zupełnie jakby łączyły nas więzy krwi. Zostałem adoptowany w kwietniu 1954 roku w wieku czterech miesięcy. Gdy w 1953 roku przyszedłem na świat, moja biologiczna matka miała szesnaście lat – chodziła do drugiej klasy szkoły średniej – i była niezamężna. Jej chłopak, uczeń ostatniej klasy tej samej szkoły, nie mając środków na utrzymanie dziecka, zgodził się oddać mnie do adopcji, chociaż podjęcie tej decyzji nie przyszło im obojgu łatwo. Dowiedziałem się o tym tak wcześnie, że stanowiło to po prostu część mojej tożsamości, tak samo akceptowanej i oczywistej jak agatowoczarny kolor moich włosów oraz fakt, że lubiłem hamburgery, a nie znosiłem kalafiorów. Kochałem swoich przybranych rodziców tak samo, jak kochałbym ich, gdyby łączyły nas prawdziwe więzy krwi, a oni dokładnie tak samo traktowali mnie.

Moja starsza siostra Jean również została adoptowana. Pięć miesięcy po przyjęciu mnie do rodziny moja mama zaszła w ciążę. Urodziła dziewczynkę – Betsy – a pięć lat później przyszła na świat Phyllis, nasza najmłodsza siostra. Miałem więc trójkę rodzeństwa. Wiedziałem, że bez względu na to, skąd pochodzę, byłem ich bratem, a one moimi siostrami. Dorastałem w rodzinie, która nie tylko mnie kochała, lecz także wierzyła we mnie i wspierała we wszystkich wysiłkach. Dotyczyło to zwłaszcza marzenia, które dopadło mnie w szkole średniej i nigdy nie ustąpiło, dopóki go nie zrealizowałem: tak jak mój ojciec pragnąłem zostać neurochirurgiem.

Podczas nauki w college'u i później na wydziale medycyny zacząłem się zastanawiać nad okolicznościami, w jakich mnie adoptowano. Kilkakrotnie kontaktowałem się z ośrodkiem adopcyjnym w Karolinie Północnej, pytając, czy przypadkiem biologiczna matka nie zainteresowała się moimi dalszymi losami. Lecz w tym stanie obowiązują jedne z najsurowszych w kraju przepisy chroniące anonimowość przysposobionych dzieci oraz ich rodziców, nawet jeżeli bardzo pragnęliby nawiązać kontakty. Po ukończeniu studiów coraz rzadziej o tym myślałem, a gdy poznałem Holley i założyliśmy własną rodzinę, kwestia ta zeszła na jeszcze dalszy plan.

A może tylko zepchnąłem ją głębiej w podświadomość?

W 1999 roku, gdy mieszkaliśmy jeszcze w Massachusetts, dzieci w klasie mojego starszego syna (wtedy szóstej w Charles River School) otrzymały zadanie sporządzenia swoich drzew genealogicznych. Eben wiedział, że zostałem adoptowany, co oznaczało, iż miał bardzo bliskich krewnych, których nie tylko nie znał osobiście, lecz także z imienia i nazwiska. Niesłychanie zainteresował się tematem.

Zapytał mnie, czy mogliśmy odszukać moich biologicznych rodziców. Odpowiedziałem mu, że od kilku lat co jakiś czas kontaktowałem się ze stanowym ośrodkiem adopcyjnym i pytałem, czy mają dla mnie jakieś wiadomości. Gdyby moja biologiczna matka lub ojciec zapragnęli się ze mną skontaktować, z pewnością poinformowaliby o tym ośrodek. Ale jak dotąd odprawiano mnie z kwitkiem.

Szczerze mówiąc, niezbyt się tym przejmowałem.

– To zupełnie normalne w takich przypadkach – wyjaśniłem Ebenowi. – To nie znaczy, że moja biologiczna mama mnie nie kocha albo że nie pokochałaby ciebie, gdyby cię poznała. Pewnie myśli, że ty i ja mamy własną rodzinę, i nie chce nam wchodzić w drogę.

Eben nie pozwolił mi tak zostawić sprawy, więc nie chcąc go rozczarować, napisałem do Betty, pracownicy wydziału opieki społecznej w ośrodku adopcyjnym, która wcześniej zajmowała się moimi prośbami. Kilka tygodni później, w chłodne lutowe popołudnie 2000 roku, wraz z Ebenem jechaliśmy z Bostonu do Maine na weekend, żeby pojeździć na nartach. Nagle przypomniałem sobie, że miałem zatelefonować do Betty, żeby sprawdzić, czy są jakieś nowe wieści w naszej sprawie. Wybrałem jej numer na klawiaturze komórki. Odebrała.

– Tak się składa – powiedziała – że mam coś dla pana. Siedzi pan wygodnie?

Technicznie rzecz biorąc, siedziałem, więc mruknąłem coś niezobowiązująco. Pominąłem jednak pewien drobny szczegół: oprócz tego prowadziłem samochód wśród gęstej śnieżycy.

– Doktorze Alexander, okazuje się, że pana biologiczni rodzice się pobrali.

Serce zaczęło mi walić w piersi jak młotem. Droga przede mną nagle stała się jakaś nierzeczywista i odległa. Chociaż wiedziałem, że moi rodzice chodzili ze sobą, zawsze zakładałem, że gdy oddali mnie do adopcji, drogi ich życia rozeszły się na dobre. Nagle przed oczami stanął mi obraz. Obraz moich biologicznych rodziców i domu, który gdzieś założyli. Domu, którego nigdy nie widziałem. Domu, w którym nie było dla mnie miejsca.

Z rozmyślań wyrwał mnie głos urzędniczki.
– Panie doktorze...
– Tak, jestem – powiedziałem powoli. – Słucham.
– Mam jeszcze kilka innych informacji.
Ku zdziwieniu Ebena zjechałem na pobocze i poprosiłem Betty, żeby mówiła dalej.
– Pana rodzice mieli jeszcze trójkę dzieci. Dwie dziewczynki i chłopca. Skontaktowałam się ze starszą siostrą, która powiedziała mi, że wasza młodsza siostra zmarła dwa lata temu. Pana rodzice nadal bardzo to przeżywają.
– Więc to znaczy...? – powiedziałem po długiej chwili milczenia, jak otępiały. Chłonąłem jej słowa, ale nie bardzo potrafiłem je zrozumieć.
– Przykro mi, panie doktorze, ale... to znaczy, że nie wyraża zgody na kontakt.
Eben przesunął się na siedzeniu za mną, świadom, że właśnie wydarzyło się coś ważnego.
– Co się stało, tato? – spytał, gdy się rozłączyłem.
– Nic – odpowiedziałem. – Jeszcze nie wiedzą zbyt wiele, ale pracują nad tym. Może za jakiś czas. Może...
Zamilkłem. Śnieżyca przybierała na sile. Widoczność nie przekraczała trzystu metrów. Znajdowaliśmy się wśród pokrytych białym puchem lasów. Wrzuciłem bieg, uważnie zerknąłem w lusterko wsteczne i wróciłem na drogę.
W mgnieniu oka moja opinia o sobie samym uległa diametralnej zmianie. Oczywiście po tamtej rozmowie telefonicznej na zewnątrz nadal pozostałem tym, kim byłem wcześniej: naukowcem, lekarzem, mężem i ojcem. Lecz po raz pierwszy w życiu poczułem się jak sierota. Jak ktoś,

kogo oddano do adopcji. Jak ktoś, kogo nie chciano w stu procentach.

Przed tamtą rozmową telefoniczną nie myślałem o sobie jak o kimś odciętym od własnych korzeni. Nigdy nie definiowałem siebie w kategoriach czegoś, co straciłem i nie odzyskam. Teraz stało się to moją obsesją.

Przez kilka następnych miesięcy otwierał się we mnie ocean smutku, który groził zatopieniem wszystkiego, na co dotąd tak ciężko pracowałem.

Nie miałem pojęcia, dlaczego tak się dzieje, co tylko potęgowało moje przygnębienie. Już wcześniej miewałem problemy ze sobą, lecz traktowałem je jak drobiazgi i korygowałem. Na przykład na studiach i na początku pracy w szpitalu znalazłem się w środowisku, w którym upijanie się w pewnych okolicznościach wywoływało tylko uśmiech na twarzy. Ale w 1991 roku zacząłem sobie uświadamiać, że trochę zbyt niecierpliwie wyczekuję na dni wolne i na zabawę zakrapianą alkoholem. Uznałem, iż nadszedł czas zupełnie rzucić picie. Ta decyzja nie przyszła mi łatwo, wcale nie, gdyż jak się okazało, nie potrafiłem się relaksować bez alkoholu. Pierwsze dni trzeźwości przetrwałem wyłącznie dzięki wsparciu rodziny. Teraz miałem do czynienia z innym problemem, który najwyraźniej powstał tylko z mojej winy. Gdybym tylko poprosił, mogłem liczyć na pomoc najbliższych. Dlaczego nie miałbym tego zdusić w zarodku? Nie podejrzewałem, że jedna informacja o mojej przeszłości, na którą nie miałem absolutnie żadnego wpływu, przysporzy mi tak poważnych problemów zarówno emocjonalnych, jak i zawodowych.

Szamotałem się. Z niedowierzaniem dostrzegałem, że coraz trudniej przychodzi mi wypełnianie życiowych ról lekarza, męża i ojca. Widząc, co się dzieje, Holley zapisała nas do poradni małżeńskiej. Chociaż nie znała przyczyn mojego przygnębienia, wybaczyła mi i robiła wszystko, co mogła, by mnie wyciągnąć z tego stanu. Depresja nie pozostała bez wpływu na moją pracę zawodową. Moja kariera akademicka znalazła się w kryzysie. Nie uszło to uwadze rodziców. Wiedziałem, że oni także mi wybaczyli, lecz mogli tylko obserwować z boku bieg wydarzeń. Bez mojego udziału rodzina nie mogła mi pomóc.

Na koniec fala smutku najpierw odsłoniła, a potem zabrała ze sobą coś innego: ostatnią, na pół skrywaną resztkę nadziei, że we wszechświecie istnieje jakiś pierwiastek osobowy, jakaś siła oprócz tych badanych przez naukę, którymi zajmowałem się przez tak wiele lat. Posługując się bardziej emocjonalnym językiem, straciłem ostatnią nadzieję na istnienie jakiegoś nadrzędnego Bytu, który naprawdę mnie kochał i się o mnie troszczył, który nie tylko słyszał moje modlitwy, lecz także mógł na nie odpowiedzieć. Po pamiętnej rozmowie telefonicznej podczas zamieci kochający, osobowy Bóg – do którego w pewnym sensie miałem prawo jako uczestniczący w praktykach religijnych członek kultury traktującej z całą powagą istnienie Absolutu – zupełnie zniknął z mojego życia.

Czy naprawdę jakaś siła lub inteligencja czuwała nad nami wszystkimi? Kogo naprawdę obchodzili ludzie? Czy ktoś ich kochał? Z pewnym zaskoczeniem musiałem przyznać, że mimo studiów medycznych i wielu lat pracy w szpitalu nadal żywo, choć skrycie, pragnąłem uzyskać odpowiedź na te pytania, podobnie jak nadal żywo, choć w tajemnicy interesowałem się swoimi biologicznymi rodzicami.

Niestety, odpowiedź na pytanie, czy taki Byt istnieje, brzmiała tak samo jak odpowiedź na pytanie, czy moi biologiczni rodzice po raz kolejny zechcieliby otworzyć na mnie swoje życie i serca.

Nie.

## 11

# KRES ZJAZDU PO RÓWNI POCHYŁEJ

Niemal na siedem długich lat moja kariera i życie rodzinne znalazły się w kryzysie. Dość długo otaczający mnie ludzie – nawet moi najbliżsi – nie byli pewni, co się właściwie stało. Ale stopniowo – dzięki uwagom, które czyniłem mimochodem – Holley i moim siostrom udało się zrekonstruować fragmenty układanki.

Wreszcie w lipcu 2007 roku, podczas rodzinnych wakacji w Karolinie Południowej, na porannym spacerze wzdłuż plaży Phyllis i Betsy wróciły do tej drażliwej kwestii.

– Może byś znowu napisał list do swojej biologicznej rodziny? – zaproponowała Phyllis.

– Tak – zawtórowała jej Betsy. – Nigdy nic nie wiadomo. Od tamtego czasu mogło się wiele zmienić.

Betsy ostatnio zakomunikowała nam, że sama zastanawia się nad adoptowaniem dziecka, więc nie byłem zupełnie zaskoczony jej słowami, lecz niemal natychmiast odpowiedziałem jej w myślach: „Nie, nigdy więcej!". Dobrze pamiętałem bezmierną otchłań, jaka otworzyła się pode mną po odrzuceniu, jakiego doznałem siedem lat wcześniej. Wiedziałem jednak, że w sercu siostry podpowiadały mi właściwy sposób postępowania. Obie widziały moje cierpienie, domyśliły się, o co chodzi, i pragnęły – zupełnie słusznie – żebym wziął sprawy w swoje ręce i spróbował rozwiązać problem. Zapewniły, że udzielą mi wszelkiej możliwej pomocy i że tym razem nie będę musiał samotnie podążać tą drogą. Byliśmy jedną drużyną.

Na początku sierpnia 2007 roku napisałem anonimowy list do mojej biologicznej siostry, osoby kontaktowej w tej sprawie, i przekazałem go na ręce Betty z ośrodka adopcyjnego w Karolinie Północnej.

Droga Siostro,

chciałbym nawiązać kontakt z tobą, z naszym bratem i z rodzicami. Długo rozmawiałem ze swoimi przybranymi siostrami i mamą i ich wsparcie oraz życzliwe zainteresowanie na nowo rozbudziły we mnie nadzieję, że dowiem się czegoś więcej o swojej biologicznej rodzinie.

Moi synowie, w wieku 9 i 19 lat, interesują się swoim pochodzeniem. Nasza trójka i moja żona bylibyśmy ci wdzięczni za wszelkie informacje, jakimi zechciałabyś się z nami podzielić. Bardzo mnie interesują losy moich biologicznych rodziców od czasów ich młodości i mojego rodzeństwa. Czym się zajmujecie i jacy jesteście?

Ze względu na nieubłagany upływ czasu mam nadzieję wkrótce was poznać. Moglibyśmy się razem do tego przygotować. Chciałbym, żebyś wiedziała, że uszanuję ich prywatność w takim stopniu, w jakim zapragną ją zachować. Mam wspaniałą przybraną rodzinę, rozumiem też decyzję moich biologicznych rodziców podjętą w młodości. Jeszcze raz podkreślam czystość swoich intencji i wyrażam zgodę na przestrzeganie wszelkich ograniczeń w naszych kontaktach, jakie uznają za stosowne wprowadzić.

Będę wdzięczny, jeżeli jeszcze raz zechciałabyś rozważyć tę kwestię.

Szczerze oddany,

twój starszy brat

Kilka tygodni później otrzymałem z ośrodka adopcyjnego list od mojej rodzonej siostry.

„Chętnie się z tobą spotkamy" – pisała. Ze względu na przepisy prawa stanowego obowiązujące w Karolinie Północnej nie ujawniła mi żadnych danych, które mógłbym wykorzystać do identyfikacji konkretnych osób, lecz obchodząc te ograniczenia, podała mi pierwsze skrawki informacji na temat nieznanej mi dotąd biologicznej rodziny.

Gdy się dowiedziałem, że mój biologiczny ojciec był pilotem samolotów w marynarce wojennej i że walczył w Wietnamie, po prostu zamarłem. Nic dziwnego, że zawsze uwielbiałem skakać ze spadochronem i pilotować szybowce. Co więcej, w połowie lat sześćdziesiątych XX wieku mój rodzony ojciec odbywał szkolenie w NASA jako astronauta podczas programu Apollo (ja zastanawiałem się nad zgłoszeniem swojej kandydatury jako specjalisty na misję promu kosmicznego w 1983 roku). Po zakończeniu kariery wojskowej pracował jako pilot w liniach pasażerskich Pan Am i Delta.

W październiku 2007 roku wreszcie poznałem swoich biologicznych rodziców, Ann i Richarda, a także rodzeństwo, Kathy i Davida. Ann opowiedziała mi o trzech miesiącach spędzonych w 1953 roku w Domu dla Niezamężnych Matek imienia Florence Crittenton działającym przy szpitalu w Charlotte. Wszystkie przebywające tam młode kobiety nosiły pseudonimy, a ponieważ Ann interesowała się historią Ameryki, wybrała Virginię Dare – imię nadane pierwszemu dziecku, które urodziło się angielskim osadnikom w Nowym Świecie. Większość koleżanek nazywała ją po prostu Dare. W wieku szesnastu lat była najmłodszą z pensjonariuszek.

Powiedziała mi, że jej ojciec, gdy dowiedział się o jej... kłopotliwym położeniu, bardzo chciał jej pomóc. Był gotów w razie potrzeby przeprowadzić się wraz z całą rodziną do innego stanu. Jednak od jakiegoś czasu był bezrobotny, a sprowadzenie kolejnego dziecka do domu spotęgowałoby tylko finansowe problemy, nie wspominając o wielu innych.

Jego bliski przyjaciel wspomniał nawet o pewnym znajomym lekarzu z Dillon w Karolinie Południowej, który zaofiarował się... rozwiązać zaistniały problem. Ale jej matka (a moja babka) nie chciała o tym słyszeć.

Tamtej lodowato zimnej grudniowej nocy w 1953 roku Ann spacerowała po pustych ulicach Charlotte. Spoglądała na migoczące gwiazdy, które wychylały się zza pędzonych silnym wiatrem kłębów chmur. Zapragnęła być sama, tylko z księżycem, z gwiazdami i z jej wkrótce mającym się narodzić dzieckiem – ze mną.

– Sierp księżyca wisiał nisko na zachodzie. Połyskująca tarcza Jowisza właśnie wschodziła. To właśnie on miał nas pilnować przez całą noc. Richard uwielbiał przedmioty ścisłe, zwłaszcza astronomię. Później powiedział mi, że tamtej nocy Jowisz znajdował się w opozycji, a zjawisko to miało się powtórzyć dopiero za dziewięć lat. W tamtym czasie wiele miało się zdarzyć w naszym życiu. Na świat przyszła kolejna dwójka naszych dzieci. Ale wtedy myślałam tylko: „Jak piękny i jasny jest król planet, gdy tak patrzy na nas z góry".

Gdy wróciła do szpitala, przyszła jej do głowy wspaniała myśl. Po urodzeniu dziecka kobiety zwykle pozostały w ośrodku przez dwa tygodnie, a potem wracały do domów, gdzie podejmowały na nowo życie w miejscu, w którym je przerwały. Gdyby Ann urodziła tamtej nocy, wróciłbym razem z nią do domu na Boże Narodzenie, oczywiście jeżeli wypisano by ją za dwa tygodnie. Byłby to prawdziwy cud: wrócić do domu z nowo narodzonym dzieckiem w dzień Bożego Narodzenia.

– Doktor Crawford właśnie skończył odbierać inny poród i wyglądał na bardzo zmęczonego – powiedziała mi Ann. – Położył mi na twarzy gazę zwilżoną eterem, by uśmierzyć ból, więc byłam półprzytomna, gdy wreszcie o drugiej czterdzieści dwie w nocy ostatnim silnym pchnięciem urodziłam pierwsze dziecko.

Powiedziała mi, że bardzo chciała mnie wziąć na ręce i przytulić. Dodała, że nigdy nie zapomni moich krzyków, lecz zmęczenie i środki znieczulające wygrały.

Przez kolejne cztery godziny najpierw Mars, potem Saturn, po nim Merkury, a na koniec błyszcząca Wenus wstawały po wschodniej stronie nieba, witając mnie na tym świecie. Ann po raz pierwszy od kilku miesięcy zasnęła głęboko.

Przed świtem obudziła ją pielęgniarka.

– Chcę ci kogoś przedstawić – powiedziała radośnie i pokazała jej mnie owiniętego szafirowym kocykiem.

– Wszystkie pielęgniarki stwierdziły, że byłeś najładniejszym dzieckiem na całej sali. Pękałam z dumy.

Ann bardzo pragnęła mnie zatrzymać, ale wkrótce musiała się pogodzić z nieprzyjazną rzeczywistością. Richard marzył o pójściu na studia, lecz samymi marzeniami nie wykarmiliby mnie. Być może w jakiś sposób odczuwałem ból Ann, bo przestałem jeść. Po jedenastu dniach przyjęto mnie do szpitala z diagnozą „upośledzenie rozwoju i wzrostu", więc pierwsze Boże Narodzenie i kolejnych dziewięć dni spędziłem w szpitalu w Charlotte.

Gdy przyjęto mnie do szpitala, Ann wsiadła w autobus i po dwóch godzinach jazdy znalazła się w swoim małym rodzinnym mieście. Boże Narodzenie spędziła wraz ze swoimi rodzicami, siostrami oraz z przyjaciółmi, których nie widziała od trzech miesięcy, lecz beze mnie.

Zanim znów zacząłem jeść, nieubłagany bieg wydarzeń zaczął nas rozdzielać. Ann zorientowała się, że nie będzie mogła mnie zatrzymać. Gdy tuż po Nowym Roku zatelefonowała do szpitala, powiedziano jej, że zostałem przekazany do ośrodka adopcyjnego w Greensboro.

– Zawiozła go wolontariuszka? To niesprawiedliwe! – wykrzyknęła.

Następne trzy miesiące spędziłem w żłobku wraz z innymi niemowlętami, których matki nie mogły zatrzymać. Miałem łóżeczko w sali na pierwszym piętrze niebieskopopielatego domu w stylu wiktoriańskim, który ośrodek adopcyjny otrzymał kiedyś w darze.

– Bardzo przyjemne miejsce jak na pierwszy dom – powiedziała mi Ann ze śmiechem – chociaż w gruncie rzeczy było to tylko żłobek.

Odwiedzała mnie w ciągu kolejnych kilku miesięcy, próbując rozpaczliwie wymyślić jakiś plan, który pozwoliłby jej zatrzymać dziecko. Kiedyś przyjechała wraz z matką, a innym razem z Richardem. (Pielęgniarki nie wpuściły go do sali z niemowlętami, nie wspominając o wzięciu mnie na ręce. Mógł tylko obejrzeć mnie przez okienko w drzwiach).

Pod koniec marca 1954 roku było już jasne, że wypadki nie potoczą się po myśli Ann. Musiała mnie oddać do adopcji. Wraz ze swoją matką odwiedziły mnie w Greensboro po raz ostatni.

– Wzięłam cię na ręce, spojrzałam ci w oczy i próbowałam wszystko wyjaśnić – powiedziała. – Wiedziałam, że będziesz chichotał, gaworzył, puszczał bańki ustami i wydawał inne dziecinne odgłosy bez względu na to, co ci powiem, ale uznałam, że jestem ci coś winna. Przytuliłam cię po raz ostatni, pocałowałam cię w uszka, w pierś i w policzki, a potem delikatnie cię pogłaskałam. Pamiętam, jak wzięłam głęboki wdech, pamiętam cudowny zapach świeżo wykąpanego dziecka, jakby to było wczoraj. Wypowiedziałam twoje imię, to, którym cię nazwałam, i dodałam: „Nie masz pojęcia, jak bardzo cię kocham. I zawsze, póki żyję, będę cię kochać". Powiedziałam też: „Boże, proszę, żeby czuł, że jego matka go kocha. Kocham go i zawsze będę go kochała". Ale nie wiedziałam, czy moja modlitwa zostanie wysłuchana. W latach pięćdziesiątych wszelkie szczegóły spraw związanych z adopcją dzieci utrzymywano w głębokiej tajemnicy. Żadnych możliwości odwrotu, żadnych wyjaśnień. Czasami w dokumentach zmieniano nawet daty urodzenia po to, by utrudnić późniejsze próby dotarcia do danych o biologicznych rodzicach dziecka. Nie zostawiano żadnych śladów. Proces adopcji chroniło bardzo surowe ustawodawstwo stanowe. Młode matki miały o wszystkim zapomnieć i zająć się własnym życiem. A jak dobrze pójdzie, wyciągnąć naukę z tego, co się stało. Pocałowałam cię ostatni raz, potem ostrożnie położyłam cię do łóżeczka. Owinęłam cię twoim niebieskim kocykiem, po raz ostatni spojrzałam w twoje niebieskie oczy, a potem pocałowałam swój palec i dotknęłam nim twojego czółka. „Żegnaj, Richardzie Michaelu. Kocham cię" – z tymi słowami zostawiłam cię na pół wieku.

Ann powiedziała mi jeszcze, że gdy się pobrali z Richardem, a na świat przychodziły ich kolejne dzieci, coraz bardziej doskwierała jej nieświadomość, co się stało ze mną. Mój biologiczny ojciec był nie tylko pilotem wojskowym i cywilnym, lecz także prawnikiem. Ann uznała, że dawało mu to prawo do odkrycia mojej przybranej tożsamości. Ale Richard był dżentelmenem w każdym calu i nie chciał podważać umowy o adopcji zawartej w 1954 roku. Nie zaangażował się w sprawę. Na początku lat siedemdziesiątych, gdy nadal toczyła się wojna w Wietnamie, Ann bardzo niepokoiła się o mnie. Wiedziała, że w grudniu 1972 roku skończyłem dziewiętnaście lat. Czy wezmą mnie do wojska? A jeżeli tak, co ze mną będzie? Rzeczywiście, początkowo miałem zamiar zostać pilotem. Co prawda siły powietrzne wymagały absolutnej ostrości wzroku, a ja cierpiałem na dość poważną krótkowzroczność, chodziły jednak słuchy, że piechota morska uczy latać nawet takich rekrutów. Właśnie wtedy prezydent podjął decyzję o zakończeniu operacji w Wietnamie, więc nie wstąpiłem do wojska. Zamiast tego poszedłem na studia medyczne. Ann nie mogła o tym wiedzieć. Wiosną 1973 roku oglądała wraz z mężem transmisję telewizyjną z powrotu do kraju ostatnich jeńców wojennych zwolnionych z więzienia zwanego Hanoi Hilton. Byli zrozpaczeni, gdy się okazało, że ponad połowa zaginionych pilotów z klasy Richarda nie pojawiła się na lotnisku. Ann od razu pomyślała o najgorszym.

Obraz mojej przerażającej śmierci na polach ryżowych Wietnamu był tak sugestywny, że przez wiele lat była przekonana o jego prawdziwości. Z pewnością byłaby zaskoczona, gdyby wiedziała, że właśnie wtedy znajdowałem się w Chapel Hill, zaledwie o kilka kilometrów od jej domu! Latem 2008 roku na plaży Litchfeld w Karolinie Południowej spotkałem się ze swoim biologicznym ojcem, jego bratem Bobem oraz jego szwagrem, również noszącym imię Bob. Bob (brat) był wielokrotnie odznaczanym bohaterem wojny koreańskiej oraz pilotem oblatywaczem w China Lake (ośrodku badawczym marynarki wojennej w Kalifornii, gdzie pracował nad udoskonalaniem systemu pocisków Sidewinder, latał też myśliwcami przechwytującymi F-104 Starfighter). Bob (szwagier) podczas operacji „Sun Run" w 1957 roku ustanowił rekord prędkości lotu za sterami myśliwca F-101 Voodoo, okrążając Ziemię z przeciętną prędkością ponad 1600 kilometrów na godzinę.

Poczułem się jak na zjeździe rodzinnym.

Poznanie biologicznych rodziców oznaczało koniec tego, co dla własnego użytku nazwałem „latami niewiedzy". Latami, które, jak się dowiedziałem, były naznaczone takim samym dojmującym bólem dla moich biologicznych rodziców jak dla mnie.

Była tylko jedna rana, która się nie zagoiła – śmierć mojej biologicznej siostry Betsy w 1998 roku. (Tak, nosiła takie samo imię jak jedna z sióstr w mojej przybranej rodzinie. Obie poślubiły mężczyzn imieniem Rob, ale to już zupełnie inna historia). Wszyscy opowiadali mi, że miała wielkie serce. Gdy nie pracowała w ośrodku pomocy dla ofiar gwałtu, w którym spędzała najwięcej czasu, zwykle opiekowała się całą menażerią bezpańskich psów i kotów.

– Prawdziwy anioł – tak mówiła o niej Ann.

Kathy obiecała mi przysłać jej zdjęcie. Betsy, podobnie jak ja, walczyła z nałogiem alkoholowym. Gdy dowiedziałem się o jej śmierci, częściowo spowodowanej tą walką, uprzytomniłem sobie po raz kolejny, jakie miałem szczęście, że udało mi się uporać z własnym problemem. Żałowałem, że nie było mi dane poznać Betsy, pocieszyć jej, powiedzieć, że rany się zagoją i wszystko będzie dobrze.

Dzięki poznaniu biologicznej rodziny poczułem, iż naprawdę wszystko jest w porządku. Rodzina odgrywała w moim życiu ogromną rolę, a ja wreszcie odzyskałem swoją, a przynajmniej jej większość. Przekonałem się, jak gruntownie i zupełnie nieoczekiwanie znajomość własnej genealogii może nie tylko uzdrowić człowieka, lecz także wywrzeć korzystny wpływ na tok jego dalszego życia.

Świadomość pochodzenia, korzeni, pozwoliła mi dostrzec i zaakceptować w sobie różne cechy charakteru, chociaż dotąd uznawałem to za niemożliwe. Dzięki poznaniu biologicznej rodziny wreszcie pozbyłem się natrętnego podejrzenia, które w sobie nosiłem, że byłem niechciany i niekochany. Podświadomie sądziłem, że nie zasługiwałem na miłość ani nawet na życie. Odkrycie, że mnie kochano, i to od samego początku, uleczyło mnie najgłębiej, jak można sobie wyobrazić. Poczułem się zdrowym człowiekiem w pełnym znaczeniu tego słowa. Wcześniej bardzo mi brakowało tego uczucia.

Okazało się to niejedynym odkryciem w tej dziedzinie, jakiego miałem dokonać. Drugie pytanie, na które otrzymałem odpowiedź tamtego zimowego dnia, gdy wraz z Ebenem wybieraliśmy się na narty, pytanie, czy naprawdę gdzieś istnieje kochający Bóg, nadal było aktualne. Uważałem jednak, że odpowiedź na nie wciąż brzmiała „nie".

Dopiero po spędzeniu siedmiu dni w śpiączce powróciłem do niego. Uzyskałem zupełnie niespodziewaną odpowiedź...

# 12

# JĄDRO

Poczułem szarpnięcie. Nie tak, jakby ktoś chwycił mnie za ramię, lecz coś subtelniejszego, mniej fizycznego. Przypominało to raczej delikatną zmianę naszego nastroju w reakcji na chmurę, która na chwilę zasłoniła słońce.

Wracałem. Oddalałem się od Jądra. Lśniąca atramentowa ciemność rozpłynęła się w zielonym, olśniewającym krajobrazie Tunelu. Spoglądając w dół, znów ujrzałem mieszkańców osady, drzewa, skrzące się strumienie i wodospady, a także anielskie istoty kreślące łuki na nieboskłonie.

Moja towarzyszka była ze mną. Podczas podróży do Jądra nie opuszczała mnie ani na chwilę, ukryta pod postacią kuli światła. Teraz znów przybrała ludzkie kształty. Nosiła tę samą piękną suknię. Gdy ją znów zobaczyłem, poczułem się jak dziecko zagubione w ogromnym, obcym mieście, które nagle spotyka znajomą twarz. Była nieoceniona.

„Pokażemy ci wiele rzeczy, ale wrócisz".

Przypomniałem sobie to, co powiedziała mi bez słów, zanim zagłębiliśmy się w bezbrzeżny mrok Jądra. Teraz zrozumiałem, co oznaczało słowo „wrócisz".

Kraina Widziana z Perspektywy Dżdżownicy, miejsce, w którym rozpocząłem swoją odyseję.

Tym razem było inaczej. Schodząc w dół w ciemność, wiedziałem już, co znajduje się powyżej, więc nie przeżywałem niepokoju, który tak bardzo dawał mi się we znaki, gdy po raz pierwszy się tam znalazłem. Cudowna muzyka Tunelu stopniowo cichła i znów dał się słyszeć rytmiczny huk dobiegający z krainy położonej poniżej. Nie przeraził mnie. Swoje odczucia mogę porównać do tego, co czuje osoba dorosła powracająca do miejsca, w którym kiedyś odczuwała lęk, lecz już się nie boi. Błoto i mrok, twarze, które na przemian wykwitały z gęstej mazi i znikały, korzenie przypominające tętnice – nic mnie teraz nie przerażało, bo uświadomiłem sobie – bez słów, tak jak poprzednio – że to miejsce nie jest celem mojej podróży, lecz odwiedzam je po drodze.

Ale dlaczego do niego wracałem?

Odpowiedź przyszła do mnie w taki sam natychmiastowy, bezsłowny sposób jak w połyskującym świecie powyżej. Powoli zacząłem zdawać sobie sprawę, że cała moja przygoda była czymś w rodzaju wycieczki – wielkiej, przeglądowej podróży po niewidzialnej, duchowej stronie istnienia. Tak jak wszystkie dobrze zorganizowane wyprawy obejmowała wszystkie piętra i wszystkie poziomy.

Gdy znów znalazłem się w dolnym świecie, stwierdziłem, że czas nadal biegnie tam zupełnie inaczej niż na ziemi.

Chcąc zrozumieć – a raczej w bardzo dużym przybliżeniu wyobrazić sobie – jak to wygląda, przypomnijcie sobie, jak funkcjonuje czas we śnie. Określenia „przed" i „po" stają się dość niejednoznaczne. Możecie znajdować się w jednym fragmencie snu i jednocześnie wiedzieć, co stanie się za chwilę, mimo że jeszcze tego nie przeżyliście. „Czas" spędzony poza ciałem biegł podobnie, chociaż muszę podkreślić, że to, co przeżywałem, nie nosiło piętna mrocznej dezorientacji typowej dla naszych ziemskich snów, jeżeli nie liczyć pierwszych chwil w zaświatach.

Jak długo to trwało tym razem? Nie mam pojęcia. Nie mogłem tego w żaden sposób zmierzyć. Wiem jednak, że po powrocie do dolnego świata dość długo odkrywałem, że mam pewien wpływ na kierunek przemieszczania się. Nie znajdowałem się już w pułapce. Podejmując świadomy wysiłek, mogłem wrócić na wyższe poziomy. W pewnej chwili w mrocznej głębi zapragnąłem znów usłyszeć wirującą melodię. Po początkowych trudnościach z przypomnieniem sobie jej dźwięków rozkwitła w mojej świadomości wirująca kula światła, źródło tej cudownej muzyki. Znów przedarła się przez galaretowaty muł i zacząłem się unosić.

Powoli odkrywałem, że w pozaziemskich światach wystarczy o czymś wiedzieć i pomyśleć o tym, by ku temu podążyć. Gdy pomyślałem o wirującej melodii, natychmiast się pojawiła, a tęsknota za wyższymi światami była równoznaczna z przeniesieniem się do nich. Im lepiej poznawałem świat u góry, tym łatwiej było mi do niego wracać. Podczas pobytu poza ciałem wielokrotnie przebywałem drogę z mulistej ciemności Krainy Widzianej z Perspektywy

Dżdżownicy przez zieloną jasność Tunelu do świętego mroku Jądra. Nie mogę dokładnie powiedzieć, jak często odbywałem te wyprawy, gdyż, jak wcześniej wspomniałem, istniejący tam czas nie przekłada się na naszą koncepcję tego pojęcia na ziemi. Za każdym razem, gdy docierałem do Jądra, wnikałem w nie głębiej niż wcześniej i dowiadywałem się czegoś więcej. Poznanie nie wymagało słów, gdyż w światach pozaziemskich istnieje bardziej efektywny sposób komunikacji.

Nie oznacza to, że podczas mojej pierwszej lub kolejnych podróży z Krainy Widzianej z Perspektywy Dżdżownicy do Jądra dane mi było ujrzeć cały wszechświat. Za każdym powrotem do Jądra przekonywałem się, że po prostu nie da się objąć rozumem wszystkiego, co istnieje – zarówno fizycznej, widzialnej strony bytu, jak i jego (o wiele, wiele większej) niewidzialnej strony duchowej, nie wspominając o niezliczonych innych wszechświatach, które istnieją lub kiedykolwiek istniały.

Nie miało to jednak znaczenia, ponieważ już poznałem jedną – a w zasadzie jedyną – rzecz, która w ostatecznym rozrachunku naprawdę się liczy. Wyjawiła mi ją prześliczna towarzyszka podróży na skrzydle motyla, gdy po raz pierwszy znalazłem się w Tunelu. Przesłanie to miało trzy części. Po raz kolejny spróbuję wyrazić je słowami (wtedy oczywiście kontaktowaliśmy się bez słów). Brzmiało mniej więcej tak:

„Otacza cię miłość i czuła opieka.
Nie masz się czego lękać.
Nie możesz zrobić nic złego".

Gdybym miał sprowadzić całe przesłanie do jednego zdania, brzmiałoby ono następująco:

„Otacza cię miłość".

A gdybym miał wyrazić je tylko jednym słowem, (oczywiście) powiedziałbym:

„Miłość".

Miłość bez wątpienia stanowi istotę wszechrzeczy. Nie mam tu na myśli jakiegoś abstrakcyjnego, trudnego do nazwania rodzaju tego uczucia, lecz to codzienne, znane nam wszystkim. Miłość, którą odczuwamy, patrząc na męża, żonę, dzieci, a nawet na zwierzęta. W swojej najczystszej i najpotężniejszej formie miłość nie kojarzy się z zazdrością ani z egoizmem, lecz jest bezwarunkowa. To nadrzędna rzeczywistość, niewypowiedzianie cudowna najważniejsza prawda, która żyje i oddycha w centrum wszystkiego, co istnieje oraz co kiedykolwiek będzie istnieć. Nikt z nas, kto o tym nie wie i nie postępuje według wskazań miłości we wszystkim, co robi, nie jest w stanie precyzyjnie pojąć, kim i czym jesteśmy.

Niezbyt naukowe spostrzeżenie? Pozwolę sobie mieć odmienne zdanie. Wróciłem z innego wymiaru na wskroś przekonany, że to nie tylko kluczowa emocjonalna prawda o wszechświecie, lecz także najważniejsza z prawd naukowych.

Od kilku lat opowiadam o swoich doznaniach, spotykam ludzi, którzy wrócili z pogranicza śmierci, rozmawiam też z badaczami tego rodzaju zjawisk. Wiem, że termin „bezwarunkowa miłość" dość często pojawia się w tych kręgach. Jak wielu z nas rozumie, co naprawdę oznacza?

Dobrze wiem, dlaczego tak często wspominamy o bezwarunkowej miłości: wielu, bardzo wielu ludzi przeżyło to, co ja. Gdy jednak wracamy na ziemię, dysponujemy słowami i tylko słowami do przekazania wrażeń oraz spostrzeżeń, których bogactwa po prostu nie da się oddać za ich pomocą. Zupełnie jakbyśmy próbowali napisać powieść, dysponując tylko połową liter alfabetu.

Najważniejsza przeszkoda, jaką musi pokonać większość osób powracających z pogranicza śmierci, nie polega na przystosowaniu do ograniczeń ziemskiego świata – chociaż to również z pewnością stanowi spore wyzwanie – lecz na tym, jak opisać, co czuli po tamtej stronie, otoczeni bezgraniczną miłością.

W głębi duszy już wiemy. Podobnie jak Dorotka z *Czarnoksiężnika z Krainy Oz* zawsze mogła wrócić do domu, my również możemy nawiązać kontakt z idylliczną krainą ducha. Niestety, zapominamy o tym, ponieważ podczas nadzorowanego przez mózg fizycznego etapu naszej egzystencji działanie tego narządu przesłania kosmiczne tło, podobnie jak każdego ranka światło wschodzącego słońca gasi blask innych gwiazd. Wyobraźmy sobie, jak ograniczona byłaby nasza wiedza o świecie, gdybyśmy nie widzieli usianego gwiazdami nocnego nieba.

Dostrzegamy tylko to, co przepuszcza filtr naszego mózgu. Mózg – zwłaszcza jego lewa część językowo-logiczna, kształtująca nasze poczucie racjonalizmu oraz świadomość odrębnej tożsamości zwanej jaźnią – stanowi barierę do zdobycia wiedzy i doświadczeń wyższego rzędu.

Uważam, że znaleźliśmy się w decydującym stadium naszej egzystencji. Powinniśmy spróbować odtworzyć choćby część tej wyższej wiedzy podczas naszego ziemskiego życia, dopóki nasze mózgi (a zwłaszcza lewostronna część analityczna) działają bez zarzutu. Nauka – ta sama, której poświęciłem znaczną część życia – nie przeczy temu, czego dowiedziałem się po drugiej stronie. Lecz wielu, zbyt wielu ludzi uważa, że jest inaczej, ponieważ niektórzy członkowie społeczności naukowców wyznający światopogląd materialistyczny uparcie twierdzą, jakoby nauka i duchowość nie mogły ze sobą współistnieć.

Mylą się. Napisałem tę książkę, pragnąc upowszechnić znaną od dawna, lecz dość fundamentalną prawdę. W jej świetle wszystkie pozostałe elementy mojej historii – tajemnicza przyczyna choroby, zachowanie świadomości w innym wymiarze podczas trwającej tydzień śpiączki oraz niewytłumaczalny pełny powrót do zdrowia – stają się zupełnie drugorzędne.

Bezwarunkowa miłość i akceptacja, które odczuwałem podczas podróży, to najważniejsze odkrycie, jakiego kiedykolwiek dokonałem lub kiedykolwiek dokonam. Wiem, że będzie mi bardzo trudno odtworzyć tu, na ziemi, wszystko, czego się dowiedziałem w innym wymiarze, wiem też w głębi serca, że upowszechnienie tego bardzo prostego przesłania – tak prostego, że bez problemów akceptują je dzieci – to najważniejsze zadanie, jakie pozostało mi do wykonania.

# 13

# ŚRODA

Przez dwa dni lekarze, proszeni o przedstawienie moich rokowań, powtarzali jak mantrę słowo „środa". Tłumaczenie: „W środę spodziewamy się pewnej poprawy". Nadeszła środa, lecz mój stan nie zmienił się ani na jotę.

– Kiedy będę mógł zobaczyć tatę?

Mój młodszy syn Bond powtarzał to pytanie – zupełnie naturalne dla dziesięciolatka, którego ojciec znalazł się w szpitalu – dość regularnie, odkąd w poniedziałek znalazłem się w śpiączce. Holley odpierała je z powodzeniem przez dwa dni, lecz w środę rano stwierdziła, że czas na nie odpowiedzieć.

Gdy w poniedziałek wieczorem Holley powiedziała Bondowi, że nie wróciłem jeszcze do domu ze szpitala, ponieważ byłem „chory", z pewnością syn pomyślał o czymś, co podsuwała mu wyobraźnia dziesięciolatka: kaszel, ból gardła, może nawet ból głowy. Chociaż nie: tamtego dnia rano na własne oczy przekonał się, jak bardzo może kogoś boleć głowa. Lecz gdy w środę po południu moja żona przyprowadziła Bonda wreszcie do szpitala, spodziewał się zapewne innego widoku niż to, co zobaczył na szpitalnym łóżku.

Ujrzał ciało, w którym ledwo rozpoznał własnego ojca. Obserwując śpiącego człowieka, wiemy, że w jego ciele nadal ktoś przebywa. Wyczuwamy jego obecność. Zdaniem większości lekarzy, osoba znajdująca się w śpiączce wygląda zupełnie inaczej (mimo że nie potrafią precyzyjnie wyjaśnić dlaczego). Doznajemy przemożnego, choć dziwnego wrażenia, iż ciało co prawda jest, ale człowieka już nie ma, zupełnie jakby esencja człowieczeństwa w niewytłumaczalny sposób przeniosła się gdzieś indziej.

Moi synowie zawsze byli sobie bardzo bliscy, odkąd Eben wpadł na porodówkę, żeby uściskać nowiutkiego, urodzonego przed kilkoma minutami brata. W szpitalu Eben starał się przedstawić przebieg mojej choroby i leczenia w sposób zrozumiały dla Bonda. Sam niedawno wyrósł z chłopięcych lat, więc wymyślił scenariusz, który jego zdaniem spodoba się młodszemu bratu: bitwę.

– Narysujmy, co się dzieje z tatą. Pokażemy mu, kiedy wyzdrowieje – zaproponował.

W szpitalnej stołówce na stoliku rozłożyli ogromny arkusz pomarańczowego papieru i zaczęli rysować to, co działo się wewnątrz mojego pogrążonego w śpiączce ciała. Odziane w peleryny i uzbrojone w szpady białe krwinki broniły obleganego terytorium (mojego mózgu). Najeźdźcy – pałeczki okrężnicy – byli uzbrojeni w szable i nieco inne uniformy. Toczyła się zażarta walka wręcz. Po obu stronach trup padał gęsto.

W pewnym sensie mimo znacznych uproszczeń ich rysunek stanowił dość precyzyjne odzwierciedlenie wydarzeń, jakie rozgrywały się w moim organizmie. Jedyna nieścisłość dotyczyła najbardziej prawdopodobnego rozstrzygnięcia bitwy. W wersji Ebena i Bonda toczyła się zajadła walka, jej wynik był niepewny, żadna ze stron nie ustępowała, chociaż oczywiście zanosiło się na ostateczną wygraną białych krwinek. W pewnej chwili Eben, patrząc na brata, na rysunek i na rozsypane na stole pisaki, uświadomił sobie, że walka wcale nie była wyrównana, a jej wynik niepewny. Naiwna wersja wydarzeń rozmijała się z prawdą.

Mój starszy syn dobrze wiedział, która strona wygrywa.

## 14

# NIETYPOWE DOŚWIADCZENIE Z POGRANICZA ŚMIERCI

*„Prawdziwą wartość człowieka poznaje się przede wszystkim po tym, w jakim stopniu zdołał się wyzwolić od samego siebie".*

Albert Einstein (1879–1955)

Gdy po raz pierwszy znalazłem się w Krainie Widzianej z Perspektywy Dżdżownicy, nie dysponowałem żadnym realnym ośrodkiem świadomości. Nie wiedziałem, kim ani czym byłem, ani nawet czy w ogóle istniałem. Po prostu... znajdowałem się tam, jak świadoma osobliwość wśród gęstej, ciemnej, mulistej nicości, która nie miała początku ani – na pozór – końca.

Teraz jednak wiedziałem więcej. Zrozumiałem, że stanowię część Boskiej Istoty i że nic – zupełnie nic – nie może mi tego odebrać. Podejrzenie (z gruntu fałszywe), jakoby można nas oddzielić od Boga, leży u podstaw wszystkich lęków we wszechświecie, a lekiem na to – który otrzymałem częściowo w Tunelu, a całkowicie w Jądrze – było przekonanie, że nic i nigdy nie może nas oderwać od Boga. To przekonanie – i jednocześnie najważniejsza rzecz, jakiej kiedykolwiek się dowiedziałem – pozbawiło Krainę Widzianą z Perspektywy Dżdżownicy wszelkich atrybutów okropności i pozwoliła mi ją dostrzec taką, jaka naprawdę była: niezbyt przyjemną, choć niewątpliwie niezbędną częścią kosmosu.

Wielu ludzi odbyło podróż do opisywanych przeze mnie krain, lecz o dziwo, większość z nich pamiętała swą ziemską tożsamość, chociaż nie zabrali ze sobą ciał. Wiedzieli, że są Johnem Smithem, George'em Johnsonem lub Sarah Brown. Ani na chwilę nie zapomnieli o tym, skąd przybyli. Pamiętali o pozostawionych na ziemi żyjących krewnych, którzy mieli nadzieję na ich rychły powrót. Po drugiej stronie wielu z nich spotykało zmarłych wcześniej przyjaciół i krewnych, których natychmiast rozpoznawali.

Dość spory odsetek osób, które przeżyły śmierć kliniczną, opowiada o retrospektywnej analizie wybranych wydarzeń ze swego życia, podczas której oglądają swoje relacje z innymi ludźmi oraz własne dobre i złe czyny.

Mnie nic podobnego się nie przydarzyło. Przez cały pobyt w zaświatach byłem zupełnie wolny od jakiejkolwiek cielesnej tożsamości, więc ściśle rzecz biorąc, moje przeżycia nie odpowiadają klasycznym opisom doświadczeń z pogranicza śmierci.

Wiem, że stwierdzenie o braku poczucia tożsamości i świadomości ziemskiego pochodzenia w takiej chwili brzmi nieco dziwnie. Jak mogłem poznawać te wszystkie niesamowicie skomplikowane zależności, jak mogłem obcować z pięknem, jak mogłem widzieć obok siebie dziewczynę, kwitnące drzewa, wodospady i ludzi, jednocześnie nie wiedząc, że doświadczam ich ja – Eben Alexander? Jak mogłem notować w pamięci wszystko, co robiłem, nie zdając sobie sprawy, że na ziemi byłem lekarzem, mężem i ojcem? Przecież wchodząc do Tunelu, nie widziałem drzew, rzek ani chmur po raz pierwszy. Widywałem je już wcześniej wyjątkowo często jako dziecko dorastające w konkretnej miejscowości na ziemi, w Winston-Salem w Karolinie Północnej.

Jedyne racjonalne wyjaśnienie tej sytuacji nasuwa mi porównanie z osobą, która doznała częściowej, lecz zbawiennej amnezji. Innymi słowy, zapomniała o jakimś kluczowym aspekcie swojej osobowości, co pozwoliło jej na tym skorzystać, choćby przez krótką chwilę.

Co zyskałem, zapomniawszy o swojej ziemskiej tożsamości? Pozwoliło mi to odwiedzać krainy w innych wymiarach, nie martwiąc się o to, co zostawiam na ziemi. Przez cały czas tam spędzony byłem duszą, która nie miała nic do stracenia. Nie tęskniłem za niczym, nie opłakiwałem nikogo. Przyszedłem znikąd, nie miałem przeszłości, więc w pełni i ze spokojem akceptowałem miejsca, w których się znalazłem – nawet mrok i inne nieprzyjemne doznania w Krainie Widzianej z Perspektywy Dżdżownicy.

Dzięki temu, że tak gruntownie zapomniałem o swojej tożsamości na ziemi, uzyskałem pełny dostęp do realnego kosmicznego bytu, którym jestem (podobnie jak my wszyscy). Pod pewnymi względami moje przeżycia przypominają sen, w którym pamiętamy tylko o kilku naszych cechach, zupełnie zapominając o innych. Analogia ta jest jednak tylko częściowo prawdziwa, ponieważ – podkreślam – Tunel i Jądro w niczym nie przypominały snu, były wręcz ultrarzeczywiste, tak dalekie od iluzji, jak tylko można sobie wyobrazić. Mam wrażenie, że nieobecność ziemskich wspomnień podczas mojego pobytu w Krainie Widzianej z Perspektywy Dżdżownicy, w Tunelu i w Jądrze była w pewien sposób zamierzona. Im więcej o tym myślę, tym bardziej utwierdzam się w tym przekonaniu. Ryzykując nadmierne uproszczenie, powiedziałbym, że pozwolono mi umrzeć głębiej i udać się dalej niż niemal wszystkim innym ludziom, którzy przede mną przeżyli własną śmierć.

Mimo iż moje słowa mogą się wydać aroganckie, stoją za nimi zupełnie odmienne intencje. Bogata literatura poświęcona przeżyciom z pogranicza śmierci okazała się kluczem do zrozumienia mojej podróży w śpiączce. Nie mam pojęcia, dlaczego właśnie mnie przytrafiło się coś takiego, ale teraz (trzy lata później) wiem, że podążanie ku wyższym światom to stopniowy proces, wymagający od nas rozwiązania wszelkich więzów łączących nas z poziomem, na którym się znajdujemy, zanim będzie nam dane udać się wyżej lub głębiej.

Nie miałem nic przeciwko temu, gdyż podczas podróży w zaświatach nie miałem żadnych ziemskich wspomnień. Ból i smutek poczułem dopiero wtedy, gdy musiałem wrócić na ziemię, od której wszystko się zaczęło.

15

# DAR ZAPOMNIENIA

*„Musimy wierzyć w wolną wolę. Nie mamy wyboru".*

Isaac B. Singer (1902–1991)

Obecnie większość naukowców uważa, że na świadomość człowieka składają się dane przechowywane w postaci cyfrowej, czyli zasadniczo tego samego rodzaju co dane wykorzystywane przez komputery. Chociaż niektóre ciągi tych danych – na przykład oglądanie szczególnie spektakularnego zachodu słońca, wysłuchanie po raz pierwszy pięknej symfonii, a nawet zakochanie się – mogą nam się wydawać głębsze lub ważniejsze niż niezliczone inne informacje tworzone i przechowywane w naszych mózgach, tak naprawdę to tylko złudzenie. Pod względem jakościowym wszystkie bity kodujące informacje są takie same. Nasze mózgi modelują rzeczywistość zewnętrzną na podstawie danych odbieranych za pośrednictwem zmysłów, które następnie przekształcają te dane w barwne cyfrowe gobeliny. Lecz nasze wyobrażenia to tylko modele rzeczywistości, a nie sama rzeczywistość. Innymi słowy, są iluzją.

Kiedyś podzielałem ten pogląd. Jeszcze jako student medycyny spotkałem się z tezą, że świadomość to tylko bardzo złożony program komputerowy. Wyładowania powodowane przez mniej więcej dziesięć miliardów neuronów w naszych mózgach miały przez całe nasze życie wytwarzać świadomość i pamięć.

Chcąc zrozumieć, w jaki sposób mózg może faktycznie blokować nasz dostęp do wiedzy istniejącej w wyższych światach, musimy przyjąć – przynajmniej hipotetycznie i tymczasowo – że narząd ten samodzielnie nie wytwarza świadomości, lecz jest czymś w rodzaju zaworu redukcyjnego lub filtru dostosowującego szerszą, niefizyczną świadomość, którą posiadamy w niematerialnych światach, do bardziej ograniczonych zdolności poznawczych na czas trwania naszego ziemskiego życia. Patrząc z ziemskiej perspektywy, odnosimy z tego bardzo konkretną korzyść. Dzięki temu, że w ciągu dnia nasze mózgi ciężko pracują, odfiltrowując z zalewu danych odbieranych przez nasze zmysły ze środowiska te, których rzeczywiście potrzebujemy do przeżycia, zapomnienie o naszej transziemskiej tożsamości pozwala nam przebywać „tu i teraz" znacznie efektywniej. Codzienne życie przynosi nam zbyt wiele informacji, byśmy mogli jednocześnie je przetwarzać i w miarę skutecznie działać. Świadomość istnienia innych światów miałaby jeszcze bardziej niekorzystny wpływ na naszą aktywność.

Gdybyśmy teraz wiedzieli zbyt wiele o krainie ducha, mielibyśmy jeszcze większe kłopoty z odnajdywaniem drogi w naszym życiu na ziemi. (Nie chcę przez to powiedzieć, że nie powinniśmy myśleć o innych światach, gdybyśmy jednak byli zbyt świadomi ich wspaniałości i ogromu, mogłyby to hamować wszelką naszą aktywność podczas pobytu na ziemi). Z perspektywy teleologicznej (teraz uważam, że wszechświat jest tworem jak najbardziej celowym) podejmowanie właściwych decyzji za pomocą wolnej woli w obliczu zła i niesprawiedliwości na ziemi miałoby o wiele mniejsze znaczenie, gdybyśmy pamiętali o pięknie, o wspaniałości tego, co na nas czeka.

Dlaczego opowiadam o tym z takim przekonaniem? Z dwóch powodów. Po pierwsze, przekazały mi to istoty zamieszkujące tamte wymiary (Tunel i Jądro), a po drugie, doświadczyłem tego osobiście. Gdy przebywałem poza ciałem, otrzymałem wiedzę o istocie i strukturze wszechświata znacznie wykraczającą poza moje zdolności pojmowania. Mimo to otrzymałem ją, prawdopodobnie dlatego, że nie mając żadnych doczesnych trosk, mogłem ją przyjąć. Teraz, po moim powrocie na ziemię, do cielesnej tożsamości, zalążek tej pozaziemskiej wiedzy znów został zakryty. Wiem jednak, że tam jest. Czuję jego obecność. Z pewnością upłynie wiele lat, zanim zakiełkuje w naszych ziemskich warunkach. Innymi słowy, miną lata, zanim zrozumiem, korzystając ze swojego śmiertelnego, cielesnego mózgu, to, co zrozumiałem natychmiast i bez trudu w krainach istniejących poza ciałem. Jestem pewien, że jeżeli naprawdę się do tego przyłożę, uda mi się ujawnić znaczną część tej wiedzy.

Stwierdzenie, że nadal istnieje przepaść między naszym obecnym naukowym zrozumieniem wszechświata a prawdą w takim kształcie, w jakim ją widziałem, byłoby znacznym niedopowiedzeniem. Nadal pasjonują mnie fizyka i kosmologia, nadal uwielbiam badać nasz ogromny, wspaniały wszechświat. Jednak dopiero teraz lepiej rozumiem, co naprawdę znaczą przymiotniki „ogromny" i „wspaniały". Fizyczna strona wszechświata jest jak pyłek w porównaniu z jego niewidzialną, duchową stroną. Kiedyś nie odważyłbym się użyć słowa „duchowy" w kontekście naukowym. Teraz uważam, że nie wolno nam odrzucać tego słowa w odniesieniu do nauki.

W Jądrze dowiedziałem się, jak działa to, co nazywamy ciemną energią i ciemną materią, podobnie jak o wiele bardziej zaawansowane części składowe naszego wszechświata, które ludzkość odkryje dopiero za kilka stuleci.

Nie znaczy to jednak, że potrafię wam cokolwiek wyjaśnić. Paradoksalnie, sam dopiero staram się poukładać sobie to w głowie. Tę część moich przeżyć porównałbym do przedsmaku innej, szerszej wiedzy, do której moim zdaniem coraz więcej ludzi uzyska dostęp w przyszłości. W tej chwili wszelkie próby podzielenia się tą wiedzą przypominają wysiłki szympansa, który na jeden dzień staje się człowiekiem, poznaje wszystkie wspaniałe wytwory ludzkiego umysłu, a potem wraca do kolegów szympansów i próbuje im opowiedzieć, jak to jest władać kilkoma językami romańskimi, stosować rachunek różniczkowy i zdawać sobie sprawę z bezkresu wszechświata.

W innym wymiarze, gdy tylko pojawiało się w moim umyśle jakieś pytanie, jednocześnie otrzymywałem na nie odpowiedź, jak kwiat zakwitający tuż przy nim. Zupełnie jakby – analogicznie do związków między cząstkami fizycznego wszechświata – nie istniały pytania bez towarzyszących im odpowiedzi. Co więcej, odpowiedzi te nie były zwykłymi „tak" i „nie". Przypominały raczej strzeliste gmachy pojęć, fascynujące struktury żywej myśli, których stopień złożoności odpowiadał miastom. Idee tak bogate w skojarzenia, że gdybym dysponował tylko ziemskim mózgiem, zabrakłoby mi życia, by cokolwiek z nich pojąć. Ale nie byłem związany tego rodzaju ograniczeniami. Porzuciłem ziemski styl myślenia, jak motyl zrzuca niepotrzebny już kokon.

Widziałem ziemię – bladoniebieską kropkę w bezkresnym mroku fizycznej przestrzeni. Zauważyłem, że jedną z cech stanowiących o jej wyjątkowości jest pomieszanie dobra ze złem. Co prawda na ziemi dobro i tak przeważa nad złem, lecz złu wolno tu zdobywać wpływy całkowicie niemożliwe do uzyskania na wyższych poziomach istnienia. Zło niekiedy zdobywa przewagę, lecz dzieje się to za wiedzą i przyzwoleniem Stwórcy, stanowi także konieczny warunek istnienia wolnej woli, którą obdarzył istoty takie jak my.

Po wszechświecie są rozrzucone niewielkie cząstki zła, lecz łączna jego ilość jest raczej jak ziarnko piasku na ogromnej plaży w porównaniu z dobrocią, obfitością, nadzieją i bezwarunkową miłością, którymi przepełniony jest wszechświat. Miłość i akceptacja to materia, z której utkane są inne wymiary, dlatego wszystko, co nie posiada tych cech, natychmiast odstaje od reszty.

Wolna wola pociąga jednak za sobą pewne koszty – utratę lub porzucenie tej miłości i akceptacji. Jesteśmy wolni, lecz otaczające nas okoliczności sprzysięgły się przeciwko nam, żebyśmy takimi się nie czuli. Wolna wola odgrywa kluczową rolę w naszym życiu na ziemi. Pewnego dnia wszyscy odkryjemy, że służy o wiele wyższemu celowi, mianowicie pozwala nam przenieść się do wyższego, bezczasowego wymiaru. Nasze życie na ziemi może się wydawać mało znaczące w porównaniu z życiem w innych światach, tak licznie występujących w widzialnych oraz w niewidzialnych wszechświatach. Nie możemy mu jednak odmawiać wagi, bo nasze zadanie polega na rozwoju ku Boskości. Rozwój ten pilnie śledzą istoty zamieszkujące światy wyższego rzędu – dusze i lśniące kule (byty, które widziałem nad sobą w Tunelu, a które moim zdaniem stanowią archetyp aniołów w naszej kulturze).

My – duchowe istoty czasowo zamieszkujące powstałe w toku ewolucji śmiertelne mózgi i ciała, wytwory ziemi, funkcjonujące zgodnie z jej prawami – dokonujemy realnych wyborów. Myślenie nie jest domeną mózgu. Lecz na skutek treningu – częściowo pod wpływem naszych mózgów – uważamy ten narząd za źródło tego, co myślimy i kim jesteśmy. Dlatego utraciliśmy świadomość tego, iż od zawsze wykraczamy daleko poza ograniczenia materialnych mózgów i ciał, które są lub powinny być nam poddane.

Prawdziwa myśl poprzedza świat materialny. To myśl stojąca za świadomą myślą, odpowiedzialna za wszelkie naprawdę ważne decyzje. Myśl, która nie zależy od liniowego procesu dedukcji, lecz działa szybko jak błyskawica, kojarząc oraz łącząc ze sobą różne poziomy. W obliczu tej swobodnej, wewnętrznej inteligencji zwykły proces ludzkiego myślenia jest beznadziejnie powolny i nieudolny. To myśl piłkarza, który przewiduje lot piłki, myśl naukowca, który dokonuje natchnionego odkrycia, myśl artysty, który układa natchnioną melodię. To właśnie myślenie podprogowe, które nie zawodzi, gdy naprawdę go potrzebujemy. Niestety, zbyt wielu z nas utraciło wiarę w tego rodzaju myślenie, a wraz z nią zdolność do jego wykorzystania. Nie muszę chyba dodawać, że właśnie to myślenie pchnęło mnie do działania tamtego wieczora, gdy wykonywaliśmy w powietrzu akrobacje, na widok nagle otwierającej się pode mną czaszy spadochronu Chucka.

Myślenie poza mózgiem oznacza czerpanie ze świata natychmiastowych związków, które sprawiają, że tak zwane zwykłe myślenie (to znaczy jego aspekty ograniczone prawami fizyki, w tym prędkością światła) wydaje się beznadziejnie rozwlekłym, bardzo mozolnym procesem. Nasza najprawdziwsza, najgłębsza tożsamość jest zupełnie wolna. Nie paraliżują ani nie szkodzą jej wcześniejsze działania, nie dba także o tożsamość ani o pozycję społeczną. Wie, że nie musi się obawiać ziemskiego świata, i dlatego nie wyrabia sobie pozycji, zdobywając sławę, bogactwa lub podbijając innych.

Właśnie na tym polega prawdziwa tożsamość duchowa, której odzyskanie jest nam wszystkim pisane. Dopóki jednak ten dzień nie nadejdzie, uważam, że powinniśmy robić wszystko, co w naszej mocy, by skontaktować się z tym wspaniałym przejawem naszego istnienia – doskonalić go, wydobywać na światło dzienne. To właśnie byt obecny teraz w nas wszystkich, ten sam byt, do którego dążymy z woli Boga.

Jak się zbliżyć do prawdziwego duchowego ja? Okazując miłość i współodczuwając. Dlaczego? Dlatego że miłość i współodczuwanie to coś znacznie potężniejszego niż abstrakcyjne pojęcia, za które wielu z nas je uważa. Są realne. Są konkretne. A nade wszystko tworzą osnowę krainy ducha.

By powrócić do tej krainy, musimy się do niej upodobnić już teraz, mimo że z trudem poruszamy się po zupełnie odmiennej rzeczywistości.

Jeden z naszych największych błędów polega na wyobrażaniu sobie Boga jako istoty bezosobowej. To prawda, że Bóg stoi za liczbami, za doskonałością wszechświata, które nauka mierzy, a nawet stara się zrozumieć. Ale paradoksalnie Bóg – Om – nosi w sobie pierwiastek „ludzki", który przejawia się w nim pełniej niż we mnie czy w tobie. Jako osoba współczuje nam i rozumie nasze położenie lepiej, niż moglibyśmy sobie wyobrazić, bo wie, o czym zapomnieliśmy, zna straszliwy ciężar egzystencji pozbawionej choćby na chwilę dostępu do świata ducha.

16

# STUDNIA

Holley poznała Sylvię w latach osiemdziesiątych, gdy obie pracowały jako nauczycielki w Szkole imienia Biskupa Johna Ravenscrofta w Raleigh w Karolinie Północnej. W tym samym czasie zaprzyjaźniła się również z Susan Reintjes, osobą posiadającą niesamowitą intuicję, co jednak nigdy nie wpływało na moją opinię o niej. Uważałem ją za bardzo szczególną postać, mimo że to, co robiła, oględnie mówiąc, wykraczało poza moje dość ugruntowane, typowe dla neurochirurga poglądy. Napisała książkę pod tytułem *Third Eye Open* (Otworzyć trzecie oko), która bardzo spodobała się mojej żonie. Susan była również medium i uzdrowicielką. Regularnie pomagała pacjentom w śpiączce, kontaktując się z nimi drogą parapsychologiczną. W czwartek, kolejnego dnia spędzonego przez mnie w śpiączce, Sylvia zaproponowała, by Susan spróbowała nawiązać ze mną kontakt.

Sylvia zatelefonowała do niej do domu w Chapel Hill i wyjaśniła, co się ze mną dzieje.

– Czy mogłabyś się „nastroić na jego falę"? – spytała.

Susan zgodziła się, poprosiła tylko o kilka szczegółów na temat mojej choroby. Sylvia powiedziała, że przed czterema dniami zapadłem w śpiączkę, a lekarze uznają mój stan za krytyczny.

– To mi wystarczy – stwierdziła. – Dzisiaj wieczorem spróbuję się z nim skontaktować.

Zdaniem Susan, pacjent w śpiączce stanowi pewien rodzaj bytu pośredniego. Nie znajduje się w pełni tutaj (na ziemi) ani w pełni tam (w krainie ducha). Często otacza go bardzo specyficzna aura. Jak już wspomniałem, wielokrotnie zauważyłem to zjawisko, chociaż oczywiście w odróżnieniu od Susan nie próbowałem wyjaśniać go, odwołując się do zjawisk nadprzyrodzonych.

Susan uważała, że pacjenci w śpiączce łatwo nawiązują kontakty telepatyczne. Była przekonana, że gdy wprowadzi się w trans medytacyjny, wkrótce skontaktuje się ze mną.

– Kontaktowanie się w pacjentem w śpiączce – wyjaśniła mi później – przypomina trochę wpuszczanie liny do głębokiej studni. Długość liny zależy od głębokości śpiączki. Kiedy próbowałam dotrzeć do ciebie, pierwszą rzeczą, która mnie zaskoczyła, była właśnie głębokość, na jaką zanurzyła się lina. Im głębiej się zapuszczałam, tym bardziej się obawiałam, że jesteś za daleko i nie będę mogła cię odnaleźć, że już nie wrócisz.

Po pełnych pięciu minutach umysłowego schodzenia po telepatycznej linie poczuła lekkie, lecz wyraźne szarpnięcie, trochę jak wędkarz wyczuwający biorącą rybę.

– Byłam pewna, że to ty, dlatego zaraz o wszystkim opowiedziałam Holley – mówiła dalej. – Dodałam, że jeszcze nie nadszedł twój czas i że twoje ciało będzie wiedziało, co robić. Zaproponowałam twojej żonie, żeby myślała o tych dwóch rzeczach i powtarzała je przy twoim łóżku.

# 17

# N = 1

Był czwartek, gdy moi lekarze stwierdzili, że pałeczka okrężnicy atakująca mój organizm nie wykazuje cech charakterystycznych ultraopornego szczepu, który dziwnym trafem pojawił się w Izraelu właśnie podczas mojego pobytu w tym kraju. Fakt ten jeszcze bardziej zagmatwał etiologię mojej choroby. O ile wiadomość, że nie jestem nosicielem bakterii, która mogłaby zmieść z powierzchni ziemi jedną trzecią ludności mojego kraju, była z pewnością bardzo dobra, o tyle uzyskane z laboratorium wyniki jedynie potwierdzały wcześniejsze podejrzenia lekarzy: mój przypadek zasadniczo nie miał precedensu.

Mój stan szybko pogarszał się z rozpaczliwego do beznadziejnego. Lekarze po prostu nie mieli pojęcia, od kogo lub od czego mogłem się zarazić chorobą ani jak mogliby mnie wybudzić ze śpiączki. Byli pewni tylko jednego: po przebytym bakteryjnym zapaleniu opon mózgowo-rdzeniowych oraz po kilkudniowej śpiączce żaden z pacjentów nie wracał w pełni do zdrowia. Właśnie zaczynał się czwarty dzień mojej choroby.

Napięcie dawało się wszystkim we znaki. We wtorek Phyllis i Betsy postanowiły zabronić obecnym rozmów o śmierci w mojej sali z obawy, że jakaś część mnie może być świadoma wypowiadanych tam słów. We czwartek wczesnym rankiem Jean zapytała jedną z pielęgniarek oddziałowych o moje szanse na przeżycie. Betsy, stojąca po drugiej stronie mojego łóżka, natychmiast zaprotestowała:

– Proszę, nie rozmawiajcie o tym w tej sali.

Jean i ja zawsze byliśmy sobie bardzo bliscy. Należeliśmy do rodziny tak samo jak biologiczne dzieci naszych rodziców, lecz fakt, że zostaliśmy „wybrani" przez mamę i tatę, połączył nas szczególną więzią. Jean zawsze czuwała nade mną, a rozgoryczenie spowodowane bezsilnością w obecnej sytuacji doprowadziło ją niemal na skraj załamania.

– Muszę na jakiś czas wrócić do domu – powiedziała ze łzami w oczach.

Po upewnieniu się, że nie zabraknie osób do czuwania przy moim łóżku, wszyscy zgodzili się, iż pielęgniarki prawdopodobnie ucieszą się z mniejszego tłoku w sali.

Jean wróciła do naszego domu, spakowała bagaże i jeszcze tego samego popołudnia wróciła do Delaware. Wyjeżdżając, jako pierwsza dała upust dominującemu teraz w naszej rodzinie uczuciu bezsilności. Istnieje niewiele bardziej frustrujących przeżyć niż widok kochanej osoby w śpiączce. Pragniemy jej pomóc, lecz nie potrafimy. Pragniemy, żeby się obudziła, lecz nic się nie dzieje. Rodziny pacjentów w tym stanie często otwierają im oczy. W pewnym sensie próbują ich zmusić do wybudzenia. Oczywiście nie przynosi to żadnych rezultatów, co bardzo niekorzystnie wpływa na morale krewnych. U pacjentów w głębokiej śpiączce gałki oczne są rozkojarzone, co oznacza, że po otwarciu powiek źrenice są skierowane w różne strony. To bardzo niepokojące zjawisko z pewnością potęgowało ból Holley, która kilka razy w tygodniu unosiła mi powieki tylko po to, by ujrzeć nieskoordynowane, niewidzące gałki oczne trupa.

Gdy Jean wyjechała, wszystkim zaczęły puszczać nerwy. Phyllis głośno dawała upust swojej złości na lekarzy. W ciągu swojej własnej praktyki byłem świadkiem niezliczonych wariantów podobnych zachowań.

– Dlaczego oni nic nam nie mówią? – pytała z oburzeniem. – Przysięgam, gdyby Eben tu był, powiedziałby nam, co się naprawdę dzieje.

Problem polegał na tym, że lekarze naprawdę robili dla mnie absolutnie wszystko, co było w ich mocy. Phyllis dobrze o tym wiedziała. Lecz ból i frustracja spowodowana moją przedłużającą się chorobą i brakiem rezultatów terapii bardzo dawały się we znaki moim najbliższym.

We wtorek Holley zatelefonowała do doktora Jaya Loefera, mojego dawnego współpracownika z programu rozwoju chirurgii stereotaktycznej w Szpitalu imienia Brighama w Bostonie. Jay piastował wtedy stanowisko ordynatora oddziału radioterapii szpitala ogólnego w Massachusetts, więc moja żona uznała, że kto jak kto, ale on powinien udzielić jej odpowiedzi na kilka pytań.

Gdy przedstawiła mu całą sytuację, Jay początkowo uznał, że pomyliła kilka kluczowych szczegółów dotyczących mojej choroby, usłyszał bowiem opis czegoś, co zasadniczo nie mogło się wydarzyć. Gdy jednak wreszcie przekonała go, iż naprawdę znalazłem się w śpiączce na skutek zapalenia opon mózgowo-rdzeniowych wywołanego przez pałeczkę okrężnicy, której pochodzenia nikt nie mógł wyjaśnić, zaczął obdzwaniać specjalistów od chorób zakaźnych w całym kraju. Żaden z jego rozmówców nie słyszał o czymś podobnym. Przeglądając literaturę medyczną aż do 1991 roku, nie natrafił na żaden opis przypadku zapalenia opon mózgowo-rdzeniowych wywołanego przez pałeczkę okrężnicy u osoby dorosłej, która niedawno nie przechodziła operacji neurochirurgicznej.

Od wtorku Jay przynajmniej raz dziennie kontaktował się z Phyllis i Holley, otrzymując od nich najnowsze informacje i przekazując im wyniki własnych poszukiwań. W tych trudnych chwilach radą i pociechą służył mojej rodzinie również Steve Tatter, kolejny serdeczny kolega po fachu. Z każdym mijającym dniem potwierdzały się jednak obawy moich lekarzy prowadzących, że mój przypadek jest pierwszym tego rodzaju w historii medycyny. Samoistne zapalenie opon mózgowych u osób dorosłych wywołane przez pałeczkę okrężnicy występuje niezwykle rzadko. Zapada na nie rocznie na całym świecie mniej niż jedna osoba na dziesięć milionów. Ponadto podobnie jak wszystkie odmiany zapalenia opon mózgowych wywołane przez bakterie Gram-ujemne ma bardzo ostry przebieg. Tak ostry, że umiera ponad 90 procent chorych, u których, tak jak u mnie, po zakażeniu wystąpiło szybkie pogorszenie się czynności układu nerwowego. Ten współczynnik umieralności dotyczy jednak pacjentów w chwili przyjęcia do szpitala. W miarę upływu czasu zbliża się on nieubłaganie do 100 procent, zwłaszcza jeżeli organizm pacjenta, podobnie jak mój, nie odpowiada na podane antybiotyki. Nieliczni, którzy przeżywają tak silne zakażenie, przez resztę życia wymagają zwykle całodobowej opieki. Oficjalnie mój status określono jako N = 1. Termin ten pochodzi z badań klinicznych i oznacza, że pojedynczy pacjent stanowi całą próbę badawczą. Po prostu nie było nikogo innego, z kim lekarze mogliby porównać mój przypadek.

W środę Holley postanowiła przyprowadzać Bonda po lekcjach do szpitala. W piątek zaczęła się jednak zastanawiać, czy te odwiedziny nie przynosiły więcej złego niż dobrego. Na początku tygodnia niekiedy się poruszałem. Mówiąc precyzyjnie, moim ciałem wstrząsały nieopanowane konwulsje. Pielęgniarka ocierała mi wtedy skronie, podawała kolejną dawkę środków uspokajających, po których znów nieruchomiałem. Wywoływało to dezorientację u mojego dziesięcioletniego syna. Widok wykonującego mechaniczne ruchy ciała musiał być dla niego szczególnie trudny do zniesienia. Dzień za dniem coraz mniej przypominałem osobę, którą kiedyś znał, a coraz bardziej przeobrażałem się w bezdusznego, nieznajomego brata bliźniaka ojca.

Pod koniec tygodnia sporadyczne eksplozje aktywności motorycznej niemal zupełnie ustały. Nie potrzebowałem już środków uspokajających, ponieważ ruchy – nawet te martwe, automatyczne, inicjowane przez najbardziej pierwotne ośrodki odruchowe zlokalizowane w pniu mózgu i rdzeniu kręgowym – prawie zanikły.

Coraz liczniejsi członkowie rodziny i przyjaciele telefonowali z pytaniem, czy mogą mnie odwiedzić. W czwartek postanowiono, że lepiej nie, gdyż w mojej sali na oddziale intensywnej terapii i tak panowało wystarczająco duże zamieszanie. Pielęgniarki dały mojej rodzinie niedwuznacznie do zrozumienia, że mój mózg potrzebuje odpoczynku, więc im ciszej, tym lepiej.

Ton rozmów także ulegał stopniowym zmianom. Coraz rzadziej wyrażano nadzieję na mój powrót do zdrowia, a coraz częściej wspominano o beznadziejnym rokowaniu. Holley niekiedy odnosiła wrażenie, że już odszedłem z tego świata.

W czwartek po południu rozległo się niecierpliwe pukanie do drzwi gabinetu Michaela Sullivana. Była to jego sekretarka z kościoła episkopalnego.

– Dzwonią ze szpitala – powiedziała. – Jedna z pielęgniarek, które opiekują się Ebenem, prosi o połączenie z pastorem. Mówi, że to pilne.

Michael podniósł słuchawkę.

– Pastorze, musi pan tu zaraz przyjechać – powiedziała pielęgniarka. – Eben umiera.

Duchowni oglądają śmierć i zgliszcza, jakie pozostawia ona za sobą, prawie równie często jak lekarze. Jako pastor Michael wiele razy odprowadzał wiernych na drugą stronę życia, mimo to przeżył szok, słysząc słowo „umiera" w odniesieniu do mnie. Natychmiast zatelefonował do swojej żony Page i poprosił ją o modlitwę nie tylko za mnie, lecz także za niego, by mógł stanąć na wysokości zadania. Potem w strugach deszczu dotarł do szpitala, nieustannie ocierając z oczu łzy.

Gdy wszedł do mojej sali, ujrzał prawie taką samą scenę jak podczas ostatnich odwiedzin. Phyllis siedziała przy łóżku, trzymając mnie za rękę. Właśnie teraz wypadała jej kolej czuwania, które trwało bez przerwy od jej przybycia w poniedziałek wieczorem. Moja klatka piersiowa unosiła się i opadała dwanaście razy na minutę w rytmie dyktowanym pracą respiratora, a pielęgniarka wykonywała rutynowe czynności: krążyła wśród urządzeń stojących przy moim łóżku i notowała wyświetlane na ich ekranach parametry.

Po chwili do środka weszła pielęgniarka oddziałowa. Michael zapytał ją, czy to ona telefonowała do parafii.

– Nie – odpowiedziała. – Od rana mam dyżur. Od zeszłej nocy stan pacjenta niewiele się zmienił. Nie wiem, kto mógł wzywać pastora.

O godzinie jedenastej w moim pokoju zebrały się Holley, mama, Phyllis i Betsy. Michael zaproponował odmówienie modlitwy. Wszyscy obecni, w tym obie pielęgniarki, chwycili się za ręce wokół mojego łóżka. Michael jeszcze raz z głębi serca poprosił Boga o mój powrót do zdrowia.

– Panie, sprowadź do nas z powrotem Ebena. Wiem, że to w twojej mocy.

Zebrani wciąż nie wiedzieli, kto telefonował po pastora, lecz ktokolwiek to był, postąpił bardzo rozsądnie, gdyż modlitwy pochodzące z dolnego świata – ze świata, z którego wyruszyłem w podróż – wreszcie zaczynały do mnie docierać.

## 18

## ZAPOMNIEĆ I PAMIĘTAĆ

Moja świadomość uległa znacznemu poszerzeniu. Stała się tak pojemna, że ogarniała cały wszechświat. Zapewne zdarzyło wam się kiedyś słuchać piosenki w radio na niezbyt precyzyjnie dostrojonej częstotliwości. Po pewnym czasie przyzwyczailiście się do jej brzmienia. Nagle ktoś reguluje odbiornik i słyszycie tę samą melodię zupełnie czysto. Jak to się stało, że wcześniej nie zauważyliście, jak przytłumionej, jak dalekiej, jak kompletnie nieprawdziwej wersji oryginału słuchaliście?

Właśnie tak działa nasz umysł. Organizm człowieka ma niesamowite zdolności przystosowawcze. Wiele razy wyjaśniałem pacjentom, że taki czy inny odczuwany przez nich dyskomfort osłabnie lub będą odnosić takie wrażenie w miarę, jak ich ciała i mózgi zaczną się przyzwyczajać do nowej sytuacji. Jeżeli jakieś bodziec trwa wystarczająco długo, nasze mózgi uczą się go ignorować, obchodzą go lub po prostu uznają za normalny stan rzeczy.

Lecz nasza ograniczona ziemska świadomość nie jest po prostu oddalona on normy. Po raz pierwszy uświadomiłem sobie ten fakt, gdy dotarłem głębiej, do samego Jądra. Nadal nie pamiętałem niczego ze swojej ziemskiej przeszłości, mimo to wcale mi to nie przeszkadzało. Chociaż zapomniałem o ziemskim życiu, wiedziałem, kim tak naprawdę byłem w nowym świecie. Byłem obywatelem wszechświata oszałamiającego swoim ogromem, złożonością i rządzonego całkowicie przez miłość.

W niemal przedziwny, niesamowity sposób moje odkrycia dokonane podczas pobytu poza ciałem nawiązywały do tego, czego się dowiedziałem zaledwie rok wcześniej, poznając wreszcie swoją biologiczną rodzinę. W ostatecznym rozrachunku nikt z nas nie jest sierotą. Wszyscy znajdujemy się w położeniu analogicznym do tego, w którym ja się znalazłem, gdyż mamy inną rodzinę: istoty, które opiekują się nami i troszczą się o nas – istoty, o których na chwilę zapomnieliśmy, a które jeżeli otworzymy się na ich obecność, czekają, by nam pomóc odnaleźć właściwą drogę w czasie danym nam tu, na ziemi. Nikt z nas nie jest pozbawiony miłości. Każdego z nas bez wyjątku dobrze zna i otacza opieką Stwórca, który kocha nas bardziej, niż potrafimy to sobie wyobrazić. Tej wiedzy nie można już dłużej utrzymywać w tajemnicy.

# 19

# NIE MA GDZIE SIĘ UKRYĆ

W piątek moje ciało otrzymywało już od czterech dni trzy różne dożylne antybiotyki, lecz nadal nie reagowało. Zewsząd przybywali do mnie członkowie rodziny i przyjaciele, a ci, którzy nie mogli przyjechać, zakładali grupy modlitewne w swoich kościołach. Tamtego dnia po południu przybyły do mnie moja szwagierka Peggy i przyjaciółka mojej żony Sylvia. Holley przywitała je, usiłując zachować pogodny wyraz twarzy. Betsy i Phyllis nadal utrzymywały, że wyzdrowieję, za wszelką cenę starając się myśleć pozytywnie. Lecz z każdym mijającym dniem wszystkim było coraz trudniej w to uwierzyć. Nawet Betsy zaczęła się zastanawiać, czy jej słowa „żadnego pesymizmu w tej sali" nie oznaczały w rzeczywistości „żadnego realizmu w tej sali".

– Myślisz, że Eben zrobiłby dla nas to samo, gdyby nasze role się odwróciły? – spytała Phyllis Betsy tamtego rana po kolejnej w dużej mierze nieprzespanej nocy.

– Co chcesz przez to powiedzieć? – spytała Betsy.

– Myślisz, że spędzałby z nami tyle czasu na oddziale intensywnej terapii?

Betsy dała jej najpiękniejszą, najprostszą odpowiedź na świecie:

– A gdzie indziej miałybyśmy być w takiej chwili?

Obie doszły do wniosku, że chociaż w razie potrzeby znalazłbym się przy nich w mgnieniu oka, bardzo, bardzo trudno przyszłoby im wyobrazić sobie brata siedzącego przez wiele godzin w jednym miejscu.

– Nigdy nie miałyśmy wrażenia, że to uciążliwy obowiązek albo przymus. Po prostu czułyśmy, że nasze miejsce jest przy tobie – powiedziała mi później Phyllis.

Sylvię najbardziej przygnębiał widok moich dłoni i stóp, które zaczynały się kurczyć, trochę tak jak liście rośliny pozbawionej wody. To normalny objaw u pacjentów po udarze i w stanie śpiączki, ale rodzinie i najbliższym niełatwo znieść taki widok. Patrząc na mnie, Sylvia usilnie starała się wierzyć w swoje pierwsze instynktowne odczucia co do mojego stanu, ale nawet jej przychodziło to z coraz większym trudem.

Holley zaczęła robić sobie wyrzuty (gdyby tylko wcześniej weszła na górę, gdyby to, gdyby tamto...), dlatego wszyscy starali się kierować rozmowę na inne tory, z dala od tego drażliwego tematu.

Teraz wszyscy już wiedzieli, że nawet jeżeli mój stan ulegnie poprawie, z pewnością nie wrócę do pełni zdrowia. Będę potrzebował przynajmniej trzech miesięcy intensywnej rehabilitacji, będę miał długotrwałe problemy z mówieniem (oczywiście jeżeli ośrodek mowy w moim mózgu nie uległ uszkodzeniu), a co najgorsze, przez resztę życia będę wymagał opieki pielęgniarskiej. A to i tak był najbardziej optymistyczny ze scenariuszy. Mimo że moja przyszłość przedstawiała się dość ponuro, w piątek nawet taki rozwój wydarzeń zakrawał na niepoprawny optymizm. Szanse, że kiedykolwiek znajdę się w tak dobrym stanie, powoli, lecz nieubłaganie zbliżały się do zera.

Bondowi nie wyjawiono wszystkich szczegółów na temat mojego stanu, ale w piątek w szpitalu podsłuchał słowa jednego z lekarzy, który mówił Holley to, co już wiedziała.

Nadszedł czas pogodzić się z faktami. Na nadzieję pozostawało coraz mniej miejsca.

Tamtego wieczora, gdy nadeszła pora powrotu do domu, Bond nie chciał wyjść z sali. Przez większość czasu przy moim łóżku mogło się znajdować tylko dwoje odwiedzających, by nie utrudniać pracy lekarzom i pielęgniarkom. Koło szóstej Holley taktownie zasugerowała, że czas wracać do domu. Ale Bond za nic nie chciał wstać z krzesła tuż pod rysunkiem bitwy między obrońcami: białymi krwinkami, i najeźdźcami: oddziałami pałeczki okrężnicy.

– Przecież tata nie wie, że tu jestem – powiedział Bond na pół proszącym, na pół rozgoryczonym tonem. – Dlaczego nie mogę zostać?

Przez resztę wieczora pozostała część rodziny wchodziła do mnie na zmianę, żeby Bond mógł zostać.

Następnego ranka, w sobotę, mój syn nagle zmienił zdanie. Gdy Holley wsunęła głowę do jego pokoju, żeby go obudzić, powiedział jej, że nie chce jechać do szpitala.

– Dlaczego nie? – spytała Holley.

– Bo się boję – odparł Bond.

On jeden odważył się wypowiedzieć głośno to, co myśleli wszyscy.

Holley na kilka minut wróciła na dół do kuchni. Potem znów spytała syna, czy na pewno nie chce zobaczyć tatusia.

Wpatrywał się w nią przez dłuższą chwilę.

– Okej, pojadę – zgodził się wreszcie.

Minęła sobota, spędzona na nieprzerwanym czuwaniu wokół mojego łóżka. Rozmowy członków mojej rodziny z lekarzami sprawiały wrażenie wymuszonych prób ożywienia gasnącej nadziei. Wszyscy powoli opadali z sił.

W nocy z soboty na niedzielę, po odwiezieniu naszej matki Betty do hotelu, Phyllis wstąpiła do naszego domu. W żadnym oknie nie paliło się światło, w ogrodzie również panowały egipskie ciemności. Co jakiś czas moja siostra zapadała się w błoto, nie mogąc dostrzec chodnika. Deszcz padał już piątą dobę bez przerwy, od czasu gdy znalazłem się na oddziale intensywnej terapii. Tego rodzaju ciągłe opady były bardzo nietypowym zjawiskiem na wirginijskim pogórzu, gdzie w listopadzie zwykle panuje chłód, a na niebie rzadko gromadzą się chmury, tak jak poprzedniej niedzieli, zanim zachorowałem. Tamten dzień wydał się Phyllis bardzo odległy. Miała wrażenie, że leje od zawsze. Kiedy wreszcie przestanie?

Phyllis otworzyła drzwi i zapaliła światło. Od początku tygodnia zaglądali do nas znajomi i przyjaciele, przynosząc jedzenie. Chociaż wciąż go przybywało, początkowo pełna ożywienia atmosfera niesienia pomocy rodzinie doświadczonej przez los stawała się coraz bardziej ponura. Wszyscy wiedzieli, że czas pogodzić się z tym, co nieubłagane.

Przez chwilę Phyllis zastanawiała się, czy nie rozpalić ognia w kominku, lecz myśl tę po chwili wyparła kolejna, nieproszona. Po co? Nagle poczuła, jak ogarnia ją fala wyczerpania i przygnębienia. Położyła się na tapczanie w wyłożonym drewnianą boazerią gabinecie i zapadła w głęboki sen.

Pół godziny później do domu wróciły Sylvia i Peggy. Mijając gabinet, zobaczyły leżącą w nim Phyllis. Sylvia zeszła do sutereny i odkryła, że ktoś nie zamknął drzwi zamrażarki. Na podłodze zbierała się woda. Jedzenie, w tym kilka naprawdę apetycznych steków, zaczynało się rozmrażać.

Gdy Sylvia powiedziała Peggy o tym, co się stało, postanowiły ratować sytuację. Zatelefonowały do reszty rodziny i kilkorga przyjaciół, a potem zabrały się do pracy. Peggy kupiła przystawki i razem z Sylvią zorganizowały zaimprowizowaną ucztę. Wkrótce dołączyły do nich Betsy, jej córka Kate wraz z mężem Robbiem oraz Bond. Było wiele nerwowej gadaniny i równie wiele nerwowych prób unikania tematu, który zaprzątał umysły wszystkich. Chodziło o to, że ja, nieobecny gość honorowy, najprawdopodobniej już nigdy nie wrócę do domu.

Holley pojechała do szpitala kontynuować niekończące się czuwanie. Usiadła przy łóżku, wzięła mnie za rękę i powtarzała mantry zaproponowane przez Susan Reintjes. Koncentrowała się na znaczeniu wypowiadanych słów i z całego serca starała się wierzyć, że są prawdziwe.

– Wysłuchaj naszych modlitw.

– Leczyłeś innych. Teraz nadszedł czas, żeby uleczyć ciebie.

– Kocha cię wielu ludzi.

– Twoje ciało wie, co robić. Jeszcze nie nadszedł twój czas.

## 20

# OSTATNI ETAP

Za każdym razem, gdy znajdowałem się w nieprzyjaznej Krainie Widzianej z Perspektywy Dżdżownicy, przypominałem sobie cudowne dźwięki wirującej melodii otwierającej portal wiodący z powrotem do Tunelu i do Jądra. Spędzałem bardzo wiele czasu – który paradoksalnie wydawał się zaledwie chwilą – wraz ze swoim aniołem stróżem na skrzydle motyla oraz całą wieczność, ucząc się od Stwórcy i Kuli światła w głębi Jądra.

W pewnej chwili znalazłem się u wejścia do Tunelu i stwierdziłem, że nie mogę się do niego dostać. Wirująca melodia – do niedawna moja przepustka do wyższych wymiarów – przestała działać. Bramy niebios zostały zamknięte.

Opis tego, co wtedy poczułem, znów przysparza mi ogromnych problemów ze względu na liniowość i inne ograniczenia języka, przez który musimy przepychać wszystko tu, na ziemi, oraz ze względu na wrażenie znacznego zawężenia skali przeżyć, z którym mamy do czynienia w ludzkim ciele. Przypomnijcie sobie wszystkie rozczarowania, jakich kiedykolwiek doznaliście. W pewnym sensie wszystko, co tracimy tu, na ziemi, stanowi tak naprawdę odmianę najważniejszej straty – utraty nieba. W dniu, w którym okazało się, że bramy do nieba zamknęły się przede mną, poczułem smutek inny niż wszystkie, jakie kiedykolwiek przeżyłem. W wyższym świecie inaczej przeżywa się uczucia. Wszystkie ludzkie emocje są tam obecne, lecz są jakby głębsze i mają szerszy zasięg – znajdują się nie tylko wewnątrz, lecz także na zewnątrz. Wyobraźcie sobie, że za każdym razem, gdy tu, na ziemi, zmienia się wasz nastrój, natychmiast towarzyszy mu zmiana pogody. Wasze łzy sprowadzają ulewę, a radość natychmiast rozprasza nawet najgęstsze chmury. W wyższym świecie zmiany nastroju są o wiele bardziej rozległe i ważkie, a co dziwniejsze, podział na to, co „wewnętrzne", i to, co „zewnętrzne", naprawdę nie istnieje.

Załamany pogrążałem się w świecie narastającego smutku i przygnębienia, które jednocześnie sprawiały, iż rzeczywiście tonąłem.

Opadałem w dół przez olbrzymie kłęby chmur. Wokół siebie słyszałem szmer głosów, ale nie rozumiałem słów. Nagle zorientowałem się, że otaczają mnie jakieś istoty. Ich klęczące tłumy układały się w łuki ciągnące się w dal. Teraz już wiem, co robiły te na pół widoczne, na pół wyczuwane hierarchie istot, ciągnące się w mroku nad i pode mną.

Modliły się za mnie.

Dwie twarze udało mi się rozpoznać. Należały one do Michaela Sullivana i jego żony Page. Wtedy oglądałem je jedynie z profilu, lecz skojarzenie z osobami przyszło dopiero wtedy, gdy po powrocie na ziemię odzyskałem mowę. Michael wiele razy przychodził do sali, w której leżałem, i prowadził tam modlitwy, ale Page nigdy fizycznie tam nie była (chociaż również modliła się w mojej intencji).

Ich wstawiennictwo dodawało mi energii. Prawdopodobnie dlatego mimo głębokiego smutku przepełniała mnie dziwna ufność w dobre zakończenie mojej podróży. Zgromadzone wokół mnie istoty wiedziały, iż znajduję się w stadium przejściowym, dlatego śpiewały i modliły się, by podtrzymać mnie na duchu. Zmierzałem w nieznane, mimo to wierzyłem, że ktoś się mną zaopiekuje, bo tak obiecali mi moja towarzyszka na skrzydle motyla i nieskończenie kochające Bóstwo: gdziekolwiek pójdę, niebo pójdzie za mną. Przybierze postać Stwórcy: Oma, oraz anioła – mojego anioła – Dziewczyny na Skrzydle Motyla.

Znajdowałem się w drodze powrotnej, ale nie byłem sam. Wiedziałem, że już nigdy nie będę sam.

21

# TĘCZA

Wracając myślami do wydarzeń tamtego tygodnia, Phyllis powiedziała mi, że przede wszystkim utkwił jej w pamięci deszcz i chłód. Ulewa nie ustawała ani na chwilę, a gęste chmury nawet na moment nie przepuszczały słońca. Ale gdy w niedzielę rano moja siostra wjeżdżała na szpitalny parking, stało się coś dziwnego. Jedna z grup modlitewnych w Bostonie wysłała jej esemesa o treści: „Spodziewajcie się cudu". Zastanawiając się, jak wielkiego cudu miała oczekiwać, pomogła naszej mamie wysiąść z samochodu. Obie zwróciły uwagę na to, że deszcz ustał. Na wschodzie promienie słońca znalazły wreszcie szczelinę w chmurach. Rozświetliły piękne starożytne łańcuchy górskie na zachodzie i spowijające je pokłady chmur, przydając im złotego odcienia.

Nad odległymi szczytami po przeciwległej stronie miejsca, w którym listopadowe słońce rozpoczynało swoją wędrówkę po niebie, zauważyły wspaniałe zjawisko.

Przepiękną tęczę.

Sylvia przybyła do szpitala wraz z Holley i Bondem na umówione spotkanie z moim lekarzem prowadzącym, doktorem Scottem Wade'em. Doktor Wade również zalicza się do naszych sąsiadów i przyjaciół. Teraz przyszło mu zmagać się z najcięższą decyzją, w obliczu której stają lekarze walczący o życie pacjenta. Im dłużej pozostawałem w śpiączce, tym bardziej wzrastało prawdopodobieństwo, że spędzę resztę życia w tak zwanym stanie wegetatywnym. Gdyby natomiast zaprzestał podawania mi antybiotyków, najprawdopodobniej umarłbym na zapalenie opon mózgowych. Być może byłaby to bardziej sensowna decyzja niż uporczywe kontynuowanie terapii. Moja choroba zupełnie nie odpowiadała na leki, co wiązało się z ryzykiem, że gdy wreszcie zostanie opanowana, przeżyję jeszcze kilka miesięcy lub nawet lat jako niereagujące na żadne bodźce ciało o zerowej jakości życia.

– Proszę usiąść – powiedział doktor Wade do Sylvii i Holley bardzo uprzejmym, choć niewątpliwie złowróżbnym głosem. – Doktor Brennan i ja odbyliśmy konsultacje telefoniczne ze specjalistami z Uniwersytetu Duke'a, Uniwersytetu Wirginii i Akademii Medycznej imienia Bowmana Graya. Muszę powiedzieć, że wszyscy zgadzają się co do jednego: sytuacja nie wygląda dobrze. Jeżeli w ciągu najbliższych dwunastu godzin nie zauważymy u Ebena rzeczywistej poprawy, prawdopodobnie zalecimy przerwanie terapii. Tydzień spędzony w śpiączce u chorego z poważnym bakteryjnym zapaleniem opon mózgowych to bardzo długo, dlatego naszym zdaniem rokowania są raczej niekorzystne. Chyba czas zostawić sprawę naturze.

– Ale wczoraj widziałam, jak porusza powiekami – zaoponowała Holley. – Naprawdę poruszał. Zupełnie jakby próbował je otworzyć. Jestem pewna, że coś takiego widziałam.

– Nie wątpię – powiedział doktor Wade. – Poza tym spada liczba białych krwinek. To wszystko dobre wieści i wcale nie chciałbym sugerować, że jest inaczej. Ale musimy przeanalizować całą sytuację w odpowiednim kontekście. Podajemy Ebenowi znacznie mniej środków wywołujących sedację, więc w tej chwili badanie neurologiczne powinno wykazywać większą aktywność mózgu. Rdzeń przedłużony jest częściowo aktywny, ale nam chodzi o czynności wyższego rzędu, a tych na razie brak. W miarę upływu czasu u większości pacjentów w śpiączce pojawiają się pozory czuwania. Ich ciała robią różne rzeczy, które sprawiają wrażenie, że zaczynają się wybudzać. Ale to tylko złudzenie. Po prostu pień mózgu przechodzi w stan znany jako śpiączka z majaczeniem, w którym może pozostawać przez wiele miesięcy, a nawet lat. Najprawdopodobniej właśnie o tym świadczą ruchy powiek. Muszę pani powiedzieć, że siedem dni w śpiączce wywołanej bakteryjnym zapaleniem opon mózgowych to bardzo długo.

Doktor Wade używał wielu słów, starając się złagodzić cios złych wieści, które można było wyrazić jednym zdaniem.

Nadszedł czas pozwolić mojemu ciału umrzeć.

## 22

# SZEŚĆ TWARZY

Z błota wyłaniało się coraz więcej twarzy, jak zawsze, gdy schodziłem z wyższego świata do Krainy Widzianej z Perspektywy Dżdżownicy. Teraz zauważyłem jednak pewną zmianę. Twarze były bardziej ludzkie, a mniej zwierzęce.

I z pewnością coś do mnie mówiły.

Nie rozumiałem ich. Cała sytuacja przypominała trochę pierwsze *Fistaszki* z Charliem Brownem – gdy mówią dorośli, dzieci słyszą tylko niezrozumiałe dźwięki. Później, gdy zacząłem sobie wszystko przypominać, zorientowałem się, że potrafię zidentyfikować sześć spośród tych twarzy. Rozpoznałem Sylvię, Holley, jej siostrę Peggy, a także Scotta Wade'a i Susan Reintjes. Spośród nich tylko Susan nie było przy moim łóżku podczas ostatnich godzin, jakie spędziłem w zaświatach. Lecz w pewnym sensie ona również mi towarzyszyła, bo tamtego wieczora, podobnie jak poprzedniej nocy, nie przestawała o mnie myśleć w swoim domu w Chapel Hill.

Gdy później się o tym dowiedziałem, bardzo się zdziwiłem, że wśród tych twarzy nie rozpoznałem mojej mamy Betty ani sióstr, które przez cały tydzień bez przerwy trzymały mnie za rękę. Mama złamała sobie kość śródstopia i poruszała się za pomocą chodzika, lecz również uczestniczyła w czuwaniu przy moim łóżku na zmianę z Phyllis, Betsy i Jean. Później dowiedziałem się jednak, że ostatniej nocy nie było ich przy mnie. Twarze, które zapamiętałem, należały do osób, które znajdowały się w mojej sali rankiem siódmego dnia mojej śpiączki i poprzedniego wieczora.

Podczas schodzenia nie potrafiłem skojarzyć z twarzami konkretnych osób ani imion, wiedziałem tylko lub czułem, że z jakiegoś powodu są dla mnie ważne.

Zwłaszcza jedna przyciągała mnie ku sobie ze szczególną mocą. Zaczęła mnie szarpać. Poczułem wstrząs, który odbił się echem w całej ogromnej studni pełnej chmur i rozmodlonych anielskich istot, które towarzyszyły mi w drodze. Nagle zorientowałem się, że istoty z Tunelu i Jądra – które znałem i kochałem na pozór od zawsze – nie były jedynymi, które znałem. Znałem i kochałem również istoty z dolnej krainy, do której szybko się zbliżałem. Do tej chwili zupełnie o nich nie pamiętałem.

Znów przyjrzałem się sześciu towarzyszącym mi twarzom, a szczególnie ostatniej. Wyglądała bardzo znajomo. Z uczuciem wstrząsu graniczącym z przerażeniem zorientowałem się, że to twarz kogoś, kto mnie potrzebował, kto nigdy nie wróci do siebie, jeżeli odejdę na zawsze. Gdybym porzucił tę osobę, przeżyłaby niewypowiedzianą stratę, porównywalną z uczuciem, jakiego doznałem po zamknięciu bram do nieba. Nie mogłem tej osobie sprawić zawodu.

Do tamtej chwili byłem wolny. Podróżowałem po różnych światach tak jak poszukiwacze przygód, zupełnie nie przejmując się własnym losem. Zresztą i tak nie miał on żadnego znaczenia, ponieważ nawet wtedy, gdy znajdowałem się w Jądrze, ani przez chwilę nie odczuwałem zmartwienia ani winy z powodu tego, że sprawiam komuś zawód. Poza tym była to jedna z pierwszych rzeczy, jakich dowiedziałem się od Dziewczyny na Skrzydle Motyla: „Nie możesz zrobić nic złego".

Ale teraz było inaczej. Po raz pierwszy podczas całej podróży poczułem przerażenie. Nie obawiałem się o swój los, lecz o los twarzy, zwłaszcza szóstej. Twarzy, której nadal nie potrafiłem zidentyfikować, lecz wiedziałem, że jest dla mnie bardzo ważna.

Stopniowo dostrzegałem na niej coraz więcej szczegółów, aż wreszcie zauważyłem, że on – tak, to był on – błagał mnie, żebym wrócił, żebym zaryzykował przerażające zejście do świata poniżej, by znów z nim być. Nadal nie rozumiałem jego słów, ale czułem, co chciał mi przekazać: miałem w tym świecie pewną „niedokończoną sprawę".

Mój powrót nie był komuś obojętny. Ze światem w dole łączyły mnie więzi, których nie mogłem nie uszanować. Im wyraźniejsza stawała się twarz, tym bardziej uświadamiałem sobie ten fakt. I tym lepiej poznawałem tę twarz.

Twarz małego chłopca.

# 23

# OSTATNIA NOC, PIERWSZY PORANEK

Przed rozmową z doktorem Wade'em Holley poprosiła Bonda, żeby poczekał przed jego gabinetem. Nie chciała, żeby usłyszał bardzo złe wieści. Jednak nasz syn stanął przy drzwiach, usłyszał strzępki słów lekarza i zrozumiał powagę sytuacji. Zrozumiał, że jego ojciec nie wróci. Nigdy.

Bond pobiegł do mojej sali i przypadł do łóżka. Szlochając, pocałował mnie w czoło i masował mi ramiona. Potem uniósł mi powieki i powiedział do pustych, rozkojarzonych oczu:

– Nic ci nie będzie, tato. Wyzdrowiejesz.

Powtarzał te słowa raz po raz z dziecinną wiarą, że jeżeli wypowie je wystarczającą liczbę razy, jego życzenie się spełni.

W tym samym czasie w sali konferencyjnej na końcu korytarza Holley wpatrywała się w przestrzeń. Słowa doktora Wade'a docierały do niej bardzo powoli.

Wreszcie powiedziała:

– W takim razie zatelefonuję do Ebena i powiem mu, żeby tu przyjechał.

Doktor Wade nie zastanawiał się długo.

– Tak. Myślę, że tak byłoby najlepiej.

Holley podeszła do ogromnego panoramicznego okna wychodzącego na łańcuch górski, nad którym deszczowe chmury ustępowały miejsca słońcu, wyjęła telefon komórkowy i wybrała numer Ebena.

Widząc to, Sylvia wstała z krzesła.

– Holley, poczekaj chwilę – powiedziała. – Zaglądnę do niego jeszcze raz.

Weszła do mojej sali, stanęła obok Bonda, który siedział na skraju łóżka i w milczeniu gładził mnie po dłoni. Sylvia lekko dotknęła ręką mojego ramienia. Tak samo jak przez cały tydzień leżałem z głową odwróconą nieznacznie na bok. Przez tydzień wszyscy patrzyli na moją twarz, a nie starali się w niej dostrzec żadnych zmian. Od czasu do czasu lekarze unosili mi powieki, żeby sprawdzić, czy źrenice rozszerzają się w reakcji na światło (jeden z najprostszych, lecz równocześnie najskuteczniejszych sposobów sprawdzenia czynności pnia mózgu). Holley i Bond wbrew wielokrotnie powtarzanym pouczeniom robili to samo, natrafiając na parę oczu martwo wpatrzonych przed siebie, przekrzywionych i rozbieżnych, jak u zepsutej lalki.

Lecz teraz, gdy Sylvia i Bond wpatrywali się w moją pozbawioną wyrazu twarz, zdecydowanie nie godząc się z tym, co przed chwilą usłyszeli od lekarza, stało się coś dziwnego.

Otworzyłem oczy.

Sylvia krzyknęła. Później powiedziała mi, że natychmiast zacząłem się rozglądać dookoła, co wywołało u niej kolejny wstrząs, prawie taki sam jak niespodziewane otwarcie oczu. Spojrzałem w górę, w dół, tu i tam... Przypominałem jej nie dorosłą osobę budzącą się z siedmiodniowej śpiączki, lecz niemowlę, kogoś, kto narodził się na nowo, kto rozgląda się po świecie, chłonąc go po raz pierwszy.

W pewnym sensie miała rację.

Gdy doszła do siebie po pierwszym szoku, zdała sobie sprawę, że coś mi przeszkadza. Wypadła z sali na korytarz i pobiegła do Holley, która wciąż stała przy oknie, rozmawiając z naszym starszym synem.

– Holley... Holley! – krzyczała. – Obudził się. Obudził! Powiedz Ebenowi, że jego ojciec wraca do zdrowia.

Holley gapiła się na Sylvię.

– Eben – powiedziała do telefonu – odwołuję to, co ci wcześniej powiedziałam. Twój... twój ojciec właśnie się obudził....

Holley odwróciła się i pobiegła do mojej sali. Tuż za nią pędził doktor Wade. Rzucałem się po łóżku, jednak tym razem nie były to mechaniczne ruchy. Byłem świadomy i coś wyraźnie mi przeszkadzało. Doktor Wade natychmiast zorientował się, o co chodzi: w gardle miałem jeszcze rurkę intubacyjną, której już nie potrzebowałem, ponieważ mój mózg wraz z resztą ciała właśnie obudził się do życia. Pochylił się nade mną, przeciął taśmę zabezpieczającą i ostrożnie usunął rurkę.

Zakrztusiłem się, nabrałem pierwszy od siedmiu dni haust powietrza bez wspomagania i wypowiedziałem pierwsze słowa:

– Dziękuję.

Wychodząc z windy, Phyllis nadal myślała o tęczy. Przed sobą pchała mamę na wózku inwalidzkim. Gdy znalazły się w sali, moja siostra prawie zemdlała z zaskoczenia. Siedziałem na łóżku o własnych siłach i patrzyłem jej prosto w oczy. Betsy podskakiwała z radości. Uściskała Phyllis. Obie zalały się łzami. Phyllis podeszła bliżej, jakby nie dowierzając.

Spojrzałem na nią, a potem rozejrzałem się po wszystkich obecnych.

Moja kochająca rodzina, lekarze i pielęgniarki zebrali się wokół łóżka, wciąż osłupieli z powodu niewytłumaczalnej zmiany mojego stanu. Na mojej twarzy wykwitł spokojny, radosny uśmiech.

– Wszystko w porządku – powiedziałem rozpromieniony. Przyjrzałem się wszystkim po kolei, dokładnie, ciesząc się boskim cudem naszego istnienia. – Nie bójcie się... wszystko w porządku – powtórzyłem, żeby rozwiać wszelkie wątpliwości.

Phyllis powiedziała mi później:

– Miałam wrażenie, że chcesz nam przekazać jakąś bardzo ważną wieść z drugiej strony: świat jest taki, jaki powinien być, i nie mamy czego się bać.

Dodała, że często przywołuje w pamięci tę chwilę. Gdy nie potrafi się uporać z jakimiś doczesnym problemami, szuka pociechy w świadomości, że ani na chwilę nie jesteśmy pozostawieni sami sobie.

Wciąż nie spuszczałem wzroku z zebranych. Wracałem do doczesnego życia.

– Co wy tu robicie? – spytałem.

Na to Phyllis odpowiedziała:

– Co ty tutaj robisz?

## 24

# ETAP PRZEJŚCIOWY

Bond wyobrażał sobie, że ten sam, dobrze znany tata obudzi się, rozejrzy się dookoła, potem szybko nadrobi zaległości i wszystko będzie jak dawniej.

Wkrótce jednak się przekonał, że nie będzie tak łatwo. Doktor Wade uprzedził Bonda o dwóch rzeczach. Po pierwsze, nie powinien liczyć na to, że będę pamiętał cokolwiek z tego, co mówię podczas wybudzania się ze śpiączki. Wyjaśnił mu, że pamięć angażuje ogromne zasoby umysłu oraz że mój mózg nie wyzdrowiał jeszcze na tyle, by móc funkcjonować na tak zaawansowanym poziomie. Po drugie, na razie nie powinien zwracać zbyt dużo uwagi na to, co mówię, bo pewnie będę wygadywał najróżniejsze głupstwa.

Miał rację w obu wypadkach.

Rankiem pierwszego dnia po odzyskaniu przeze mnie przytomności Bond z dumą pokazał mi rysunek, jaki wraz z bratem wykonali podczas mojej choroby.

– Super, wspaniały – powiedziałem.

Bond zarumienił się z dumy i podniecenia.

A ja dodałem:

– Jakie warunki na zewnątrz? Sprawdźcie odczyt na komputerze. Tylko szybko, bo muszę się przygotować do skoku!

Bond się zasmucił. Nie muszę chyba dodawać, że nie na taki powrót taty miał nadzieję.

Przeżywałem po raz kolejny najbardziej ekscytujące chwile ze swojego życia. Halucynacje były bardzo plastyczne, sugestywne, by nie powiedzieć: szalone.

Znajdowałem się w samolocie, w DC3, i szykowałem się do skoku ze spadochronem z wysokości prawie pięciu kilometrów... najbardziej lubiłem skakać jako ostatni i rozkoszować się lotem.

Wyskakując wprost w blask słońca za drzwiami samolotu, natychmiast przyjąłem pozycję nurka. Schowałem ręce za plecy (w myślach), poczułem znajomy podmuch powietrza odrzucanego w tył przez śmigła samolotu i pędząc głową w dół, wpatrywałem się w brzuch ogromnej srebrzystej maszyny, który w tej samej chwili wystrzelił ku niebu. Ogromne śmigła wirowały jak w zwolnionym tempie, a ziemia oraz chmury odbijały się jak w zwierciadle od wypolerowanego kadłuba. Patrzyłem na wysunięte klapy i podwozie (jak przed lądowaniem), mimo że maszyna wciąż znajdowała się na dość dużej wysokości (chodziło o to, by zmniejszyć prędkość i siłę natarcia wiatru odczuwaną przez skoczków).

Przycisnąłem ramiona bliżej ciała, chcąc w możliwie najkrótszym czasie przyspieszyć do 350 kilometrów na godzinę. Sile przyciągania ogromnej planety pode mną opierały się tylko cętkowany niebieski hełm i ramiona. W ciągu sekundy w dość rzadkim na tej wysokości powietrzu pokonywałem odległość przekraczającą długość boiska futbolowego. Wiatr trzykrotnie silniejszy od huraganu ryczał wściekle, głośniej niż wszystko, co dotychczas słyszałem.

Mijając szczyty dwóch ogromnych kłębiastych białych chmur, śmignąłem w przejrzystą otchłań między nimi. W dali poniżej widziałem zieloną ziemię i skrzące się granatowe morze. Pędziłem przed siebie, podekscytowany, starając się dołączyć do kolegów w barwnej formacji płatka śniegu. Z początku ledwo ich widziałem, lecz teraz powiększali się z każdą sekundą, gdy do grupy stopniowo dołączali inni koledzy... daleko, daleko pode mną...

Z oddziału intensywnej terapii przenosiłem się w podsycaną adrenaliną iluzję niesamowitego skoku ze spadochronem i z powrotem.

Znajdowałem się w zawieszeniu między szaleństwem a normalnością.

Przez dwa dni opowiadałem niestworzone rzeczy o skokach ze spadochronem, o samolotach i o internecie wszystkim, którzy tylko chcieli mnie słuchać. Gdy mój fizyczny mózg stopniowo odzyskiwał orientację w przestrzeni, trafiłem do dziwnego, paranoidalnego, lecz bardzo wyczerpującego wszechświata. Tym razem zaczęła mi dokuczać denerwująca iluzja stron internetowych. Ukazywały mi się, gdy tylko zamykałem oczy, czasami widziałem je także na suficie sali. Po zamknięciu oczu słyszałem zgrzytliwe, monotonne, niemelodyjne, lecz rytmiczne dźwięki, które zwykle znikały, gdy znów unosiłem powieki. Bez przerwy wymachiwałem palcem w powietrzu, jak ET, starając się zmienić kierunek przewijania nagłówków wiadomości w językach rosyjskim i chińskim, które przepływały obok mnie. Krótko mówiąc, zachowywałem się dość dziwnie.

Pierwsze chwile po powrocie na ziemię przypominały mi Krainę Widzianą z Perspektywy Dżdżownicy, lecz bardziej upiorną, ponieważ na to, co słyszałem i widziałem, nakładała się moja ludzka przeszłość (poznawałem członków rodziny, chociaż, jak w przypadku Holley, nie pamiętałem ich imion).

Jednocześnie brakowało mi niesamowitej klarowności, dynamiki i żywości – ultrarzeczywistości – Tunelu i Jądra. Z pewnością wracałem do swojego ziemskiego mózgu.

Mimo pozornej jasności umysłu, gdy po raz pierwszy otworzyłem oczy, wkrótce znów zapomniałem o wszystkim, co przeżyłem przed zapadnięciem w śpiączkę. Moje jedyne wspomnienia pochodziły z miejsca, które niedawno opuściłem – z obrzydliwej Krainy Widzianej z Perspektywy Dżdżownicy, sielskiego Tunelu i nieopisanego niebiańskiego Jądra. Mój umysł – moje prawdziwe ja – wciskał się znów w przyciasny, krępujący ruchy garnitur materialnej egzystencji z jej granicami czasowo-przestrzennymi, liniowym myśleniem i mało efektywną komunikacją słowną. Egzystencja, którą jeszcze tydzień wcześniej uważałem za jedyny możliwy rodzaj istnienia, teraz okazywała się nadzwyczajnie uciążliwym ograniczeniem.

W świecie materialnym towarzyszą nam reakcje obronne, podczas gdy w świecie ducha jest zupełnie odwrotnie. Tylko w ten sposób potrafię wyjaśnić, dlaczego mój powrót na ziemię wiązał się z tak silnymi zaburzeniami o charakterze paranoidalnym. Przez pewien czas żywiłem przekonanie, że Holley (jej imienia nadal nie mogłem sobie przypomnieć, lecz wiedziałem, że jest moją żoną) wraz z lekarzami próbuje mnie zabić. Potem przyszły kolejne sny i fantazje, w których na przemian z kimś walczyłem lub skakałem ze spadochronem. Niektóre z nich były niesamowicie długie i skomplikowane. W najdłuższej, najbardziej intensywnej i szczegółowej iluzji znalazłem się w ośrodku leczenia chorób nowotworowych na południu Florydy. Po ruchomych schodach ścigali mnie Holley i dwóch miejscowych policjantów, a z wyciągu krzesełkowego pomagało im dwoje fotografów o azjatyckich rysach twarzy, ubranych w stroje ninja.

W rzeczywistości przeżywałem poważne zakłócenia percepcji rzeczywistości – normalny, a nawet spodziewany stan psychotyczny występujący u pacjentów przebywających na oddziałach intensywnej terapii, których mózgi podejmują pracę po długotrwałej bezczynności. Zjawisko to oglądałem wiele razy, lecz nigdy nie doświadczyłem go od środka. Z tej strony było bardzo, ale to bardzo odmienne.

Z perspektywy czasu mogę stwierdzić, że najciekawszą cechą wszystkich tych ciągów koszmarów i paranoidalnych fantazji był ich bardzo luźny związek z rzeczywistością. Pewne ich fragmenty – zwłaszcza bardzo długi koszmar rozgrywający się w scenerii południowej Florydy – były nadzwyczaj barwne, a nawet przerażające. Lecz gdy tylko psychoza minęła, wszystkie bez najmniejszych kłopotów zaliczyłem do grupy wytworów mózgu, który z ogromnym trudem próbował odzyskać orientację w świecie. Pewne sny, które miałem w tym czasie, były niezwykle, wręcz przerażająco żywe. Lecz i one zdecydowanie różniły się od ultrarzeczywistości, jakiej doświadczyłem, zapadając w głęboką śpiączkę.

Moim zdaniem, motywy rakiet, samolotów i skoków ze spadochronem, które wciąż powracały w moich wizjach, pełniły pewną bardzo określoną funkcję symboliczną. Naprawdę powracałem z odległego miejsca do porzuconej na jakiś czas, lecz teraz znów czynnej stacji kosmicznej swojego mózgu. Proces ten nie zaliczał się do łatwych ani bezpiecznych. Trudno o lepszą niż lot rakietą analogię do moich przeżyć z tamtego tygodnia.

# 25

# W STARYM CIELE

Bond nie był jedyną osobą, która miała kłopoty z zaakceptowaniem mojego dziwacznego zachowania i jeszcze dziwniejszych wypowiedzi tuż po moim powrocie do ziemskiego życia. Dzień po odzyskaniu przeze mnie świadomości – w poniedziałek – Phyllis skontaktowała się z Ebenem przez Skype'a.

– Eben, to twój tata – powiedziała, obracając ku mnie obiektyw kamery.

– Cześć, tato! Jak leci? – spytał radośnie.

Przez minutę tylko szczerzyłem zęby w uśmiechu i wpatrywałem się w ekran komputera. Kiedy wreszcie przemówiłem, Eben był zdruzgotany. Mówiłem irytująco powoli, a słowa niechętnie układały się w sensowne wypowiedzi. Eben powiedział mi później:

– Bredziłeś jak zombie. Jak ktoś, kto przed chwilą naćpał się kwasu.

Niestety, nikt nie ostrzegł go przed tym, że mogę cierpieć na zaburzenia psychotyczne.

Stopniowo paranoja ustępowała. Przebłyski świadomości trwały coraz dłużej, dzięki czemu mogłem w miarę sensownie rozmawiać. Dwa dni po przebudzeniu przeniesiono mnie na oddział neurologiczny. Pracujące w nim pielęgniarki udostępniły Phyllis i Betsy łóżka polowe, żeby mogły spać obok mnie. Nie ufałem nikomu oprócz nich. Tylko z nimi czułem się bezpieczny, zakotwiczony w nowej dla mnie rzeczywistości.

Jedyny problem polegał na tym, że nie spałem. Siostrom również nie pozwalałem zasnąć, wygadując najróżniejsze rzeczy o internecie, stacjach kosmicznych, rosyjskich podwójnych agentach i tym podobne bzdury. Phyllis próbowała przekonać pielęgniarki, że dokucza mi kaszel, mając nadzieję, że podadzą mi syrop, dzięki któremu zdrzemnę się choć na godzinę. Byłem jak noworodek, który nie wiedział, że trzeba spać.

Gdy byłem spokojniejszy, Phyllis i Betsy powoli przypominały mi, kim byłem przed zapadnięciem w śpiączkę. Opowiadały mi najróżniejsze historie z naszego dzieciństwa i chociaż najczęściej miałem wrażenie, że słyszę je po raz pierwszy, bardzo mnie fascynowały. Im bardziej wsłuchiwałem się w ich słowa, tym bardziej uprzytomniałem sobie, że ja również uczestniczyłem w tych wydarzeniach.

Obie siostry powiedziały mi później, że przez gęstą mgłę paranoidalnego trajkotu bardzo szybko zaczęły we mnie dostrzegać brata, którego wcześniej znały.

– To było niesamowite – powiedziała mi później Betsy. – Dopiero co wybudziłeś się ze śpiączki, nie byłeś w pełni świadom, gdzie jesteś ani co się wokół ciebie dzieje, mówiłeś o najróżniejszych zwariowanych rzeczach, a mimo to twoje poczucie humoru pozostało nietknięte. Cały ty. Wtedy już wiedziałyśmy, że naprawdę wróciłeś!

– Od samego początku upierałeś się, że będziesz jadł samodzielnie – wspominała Phyllis. – Byłyśmy gotowe karmić cię łyżeczką tak długo, jak będzie trzeba. Ale ty nie chciałeś. Postanowiłeś, że sam zjesz tę pomarańczową galaretkę.

Po chwilowej przerwie silniki mojego mózgu rozgrzewały się coraz bardziej. Obserwowałem, jak mówię lub robię różne rzeczy, i nie posiadałem się ze zdziwienia: jak to możliwe? Nie wiedziałem, że to potrafię. Kiedyś odwiedziła mnie Jackie, znajoma z Lynchburga. Wraz z Holley dobrze znaliśmy Jackie i jej męża Rona, ponieważ to właśnie od nich kupiliśmy nasz dom. Odruchowo, bez udziału świadomości, włączyło się moje głęboko zakorzenione, typowe dla południowca wyrobienie towarzyskie. Na widok Jackie natychmiast spytałem:

– Co słuchać u Rona?

Po kilku dniach mogłem już sporadycznie prowadzić sensowne rozmowy z odwiedzającymi mnie gośćmi. Zafascynowany obserwowałem, jak wiele skojarzeń powracało automatycznie, niemal bez wysiłku z mojej strony. Jak odrzutowiec sterowany przez autopilota, mój mózg jakoś przedzierał się przez coraz bardziej znajome krajobrazy ludzkich doświadczeń. Otrzymywałem bezpośrednie potwierdzenie faktu, który doskonale znałem jako neurochirurg: ludzki mózg stanowi naprawdę wspaniały mechanizm.

Oczywiście wszyscy (wraz ze mną w chwilach, gdy byłem zdolny do w miarę klarownego myślenia) zastanawiali się nad pytaniem, którego nikt nie ośmielił się wypowiedzieć na głos: czy wrócę do pełni sił i zdrowia, czy też pałeczka okrężnicy rzeczywiście dokonała w moim mózgu takich spustoszeń, jakich obawiali się lekarze? Codziennie wyczekiwanie dawało się wszystkim we znaki, zwłaszcza Holley, która obawiała się, że nagle mój stan przestanie się poprawiać i pozostanie jej tylko część „mnie", jakiego znała.

Na szczęście dzień po dniu powracało coraz więcej „dawnego mnie". Mowa. Wspomnienia. Rozpoznawanie ludzi. Pewna przekorna cecha charakteru, z której dobrze mnie znano, również wróciła. Moje siostry cieszyły się, że odzyskuję poczucie humoru, lecz nie zawsze podobało im się to, jak z niego korzystałem. W poniedziałek po południu Phyllis dotknęła mojego czoła. Wzdrygnąłem się.

– Au! – krzyknąłem. – To boli!

Przez chwilę delektowałem się widokiem przerażonych twarzy obecnych, a potem powiedziałem:

– Żartowałem.

Wszyscy – oprócz mnie – zdumiewali się szybkością, z jaką wracałem do zdrowia. Na razie nie miałem najmniejszego pojęcia, jak blisko otarłem się o śmierć. Gdy po kolei przyjaciele i członkowie rodziny wracali do swoich obowiązków, do własnego życia, życzyłem im wszystkiego najlepszego, pozostając jednocześnie błogo nieświadomy tragedii, której ledwo uniknąłem. Byłem w tak szampańskim nastroju, że jeden z neurologów, którzy badali mnie przed przyjęciem do ośrodka rehabilitacyjnego, uznał moją „nadmierną euforię" za prawdopodobną oznakę organicznego uszkodzenia mózgu. Ten lekarz, podobnie jak ja, nosił muchę, a nie krawat. Odwzajemniłem mu się pięknym za nadobne. Gdy wyszedł, powiedziałem moim siostrom, że jak na miłośnika muszek jest okropnym sztywniakiem.

Stopniowo coraz więcej osób z mojego otoczenia akceptowało coś, co podejrzewałem od pewnego czasu. Bez względu na opinie lekarzy nie byłem chory, a mój mózg działał bez zarzutu. Czułem się bardzo dobrze.

W rzeczywistości – chociaż na razie tylko ja o tym wiedziałem – po raz pierwszy w życiu naprawdę, od początku do końca, czułem się dobrze.

## 26

# PIERWSZE PRÓBY

Naprawdę czułem się dobrze, mimo że pozostało mi sporo do zrobienia w dziedzinie – nazwijmy ją techniczną. Kilka dni po rozpoczęciu rehabilitacji w trybie ambulatoryjnym zatelefonowałem do Ebena. Wspomniał, że pracuje nad esejem na zajęcia z neurobiologii. Zaofiarowałem mu pomoc, ale wkrótce tego pożałowałem. Skupienie uwagi na pojedynczym zagadnieniu przychodziło mi o wiele trudniej, niż się spodziewałem, poza tym terminologia, którą pozornie miałem na wyciągnięcie ręki, uparcie mi umykała wtedy, gdy najbardziej jej potrzebowałem. Zorientowałem się, że czeka mnie jeszcze długa droga do pełnego odzyskania władz umysłowych.

Krok po kroku także w tej dziedzinie robiłem postępy. Każdego rana po obudzeniu się uświadamiałem sobie, że dysponuję coraz większą wiedzą naukową i medyczną, której nie miałem poprzedniego dnia. To zjawisko zaliczało się najdziwniejszych aspektów mojego doświadczenia: gdy otwierałem oczy, coraz więcej elementów maszynerii budowanej przez wiele lat nauki i pracy zaczynało działać.

Wiedza z dziedziny neurobiologii powracała powoli i nieśmiało, lecz wspomnienia wydarzeń rozgrywających się poza ciałem zapisały się w mojej pamięci zadziwiająco wyraziście. To dzięki nim obudziłem się niesamowicie szczęśliwy, później również radość nie odstępowała mnie ani na chwilę. Nie posiadałem się ze szczęścia, bo wróciłem do ludzi, których kochałem. Ale byłem też szczęśliwy, ponieważ – inaczej nie umiem tego wyrazić – po raz pierwszy zrozumiałem, kim naprawdę jestem i jaki świat zamieszkuje rodzaj ludzki.

Bardzo pragnąłem podzielić się swoimi doświadczeniami ze wszystkimi, a zwłaszcza z kolegami po fachu. Gruntownie zmieniły one moje wieloletnie przekonania na temat tego, czym jest mózg, czym jest świadomość, a nawet na czym polega sens – i bezsens – życia. Któż nie chciałby usłyszeć o moich odkryciach?

Zgrzeszyłem naiwnością. Wielu ludzi nie chciało o nich słyszeć, zwłaszcza ci z wykształceniem medycznym.

Żebyśmy się dobrze zrozumieli. Moi lekarze bardzo się cieszyli z tego, że wracam do zdrowia. „To wspaniale, to naprawdę wspaniale" – mówili, powtarzając słowo w słowo odpowiedź, jaką ja sam dawałem wielu pacjentom, którzy w przeszłości próbowali mi opowiadać o doznaniach z innego świata, jakie przeżyli podczas operacji. „Byłeś bardzo chory. Twój mózg dosłownie pływał w ropie. Wciąż nie możemy uwierzyć, że tu jesteś i że z nami o tym rozmawiasz.

Ale sam wiesz, do czego zdolny jest mózg człowieka w tak poważnym stanie".

Krótko mówiąc, nie chcieli zrozumieć, że rozpaczliwie próbuję przekazać im coś ważnego.

Ale jak mógłbym ich za to winić? Przecież ja też z pewnością zareagowałbym tak samo. Zanim zapadłem w śpiączkę.

27

# POWRÓT DO DOMU

25 listopada 2008 roku, dwa dni przed Świętem Dziękczynienia, wróciłem do domu przepełnionego atmosferą wdzięczności. Wstałem bardzo wcześnie i usiadłem w swoim ulubionym fotelu przy kominku w przytulnym, wyłożonym drewnianą boazerią gabinecie, myśląc o wszystkim, co przeżyłem. Tuż po szóstej rano w domu pojawił się Eben. Poprzedniego wieczora wyruszył w drogę, chcąc zrobić mi niespodziankę. Podczas jego ostatnich odwiedzin znajdowałem się w głębokiej śpiączce. Fakt, że w ogóle żyję, dopiero do niego docierał. Mój syn był tak podekscytowany, że przejeżdżając przez hrabstwo Nelson, leżące tuż na północ od Lynchburga, został ukarany za przekroczenie prędkości. Wstałem i przez dłuższą chwilę trzymałem go w objęciach. Nie posiadał się ze zdumienia. Ostatnim razem, gdy widział mnie w szpitalu za pośrednictwem Skype'a, ledwo byłem w stanie wymówić pełne zdanie. Teraz – oprócz tego,

że byłem bardzo wychudzony i musiałem uważać na kroplówkę podłączoną do żyły w ramieniu – powróciłem do swojej ulubionej roli ojca Ebena i Bonda.

Nie wszystko było takie samo. Eben od razu wyczuł we mnie jakąś zmianę. Później powiedział, że kiedy mnie zobaczył tamtego dnia, uderzyło go, jak bardzo byłem „świadomy".

– Wyrażałeś się jasno, byłeś bardzo skoncentrowany – powiedział. – Zupełnie jakby w twoim wnętrzu lśniło jakieś światło.

Nie tracąc czasu, podzieliłem się z nim swoimi myślami.

– Bardzo chcę przeczytać wszystko, co do tej pory wydano na ten temat – powiedziałem mu. – Eben, to, co przeżyłem, było za bardzo rzeczywiste, by mogło być realne, jeżeli to ma jakikolwiek sens. Chcę napisać o tym książkę dla innych neurobiologów. Chcę też przeczytać wszystko na temat przeżyć z pogranicza śmierci, wszystkie dostępne relacje innych ludzi. Nie mieści mi się w głowie, że nigdy nie brałem tego poważnie, nigdy nie słuchałem, co mówili mi moi właśni pacjenci. Brakowało mi nawet ciekawości.

Początkowo Eben się nie odzywał, ale wiedziałem, że zastanawia się, co mi doradzić. Usiadł i zwrócił mi uwagę na coś, co od początku powinno było być dla mnie oczywiste.

– Wierzę ci, tato – powiedział. – Ale pomyśl o jednym. Jeżeli chcesz, żeby to, co napiszesz, miało jakąkolwiek wartość dla innych, na razie nie powinieneś nic czytać na ten temat.

– Więc co mam robić? – spytałem.

– Zacznij pisać. Zanotuj wszystko, wszystkie wspomnienia, tak dokładnie, jak potrafisz. Ale nie czytaj żadnych książek ani artykułów o przeżyciach innych ludzi z pogranicza śmierci, nie zawracaj sobie też głowy fizyką ani kosmologią. Nic, dopóki nie spiszesz wszystkiego, co masz do powiedzenia. Nie rozmawiaj też na ten temat z mamą ani z nikim innym. Jeżeli zechcesz, wszystko nadrobisz później, okej? Przypomnij sobie: zawsze mi powtarzałeś, że na pierwszym miejscu jest obserwacja, dopiero potem przychodzi czas na interpretację. Jeżeli chcesz, żeby to, co przeżyłeś, miało jakąkolwiek wartość naukową, najpierw musisz wszystko spisać ze szczegółami. Później możesz przejść do porównań z relacjami innych.

Uznałem to za najmądrzejszą radę, jaką kiedykolwiek otrzymałem, i zastosowałem się do niej. Eben miał też sporo racji, gdy zauważył, że przede wszystkim bardzo pragnąłem skorzystać z moich doświadczeń, żeby pomóc innym. Im lepiej działał mój umysł naukowca, tym wyraźniej dostrzegałem, jak bardzo wiedza zdobyta w ciągu kilkudziesięciu lat praktyki lekarskiej rozmija się z moimi przeżyciami w innym wymiarze. Tym dobitniej rozumiałem również, że umysł i osobowość (dusza lub duch, jak nazwaliby to niektórzy) istnieją również poza ciałem. Musiałem opowiedzieć o tym światu.

Przez mniej więcej następnych sześć tygodni mój plan dnia wyglądał tak samo. Budziłem się około drugiej lub drugiej trzydzieści w nocy i wyskakiwałem z łóżka. Rozpierała mnie energia i radość życia. Rozpalałem ogień w kominku, siadałem w starym skórzanym fotelu i pisałem.

Starałem się przywołać w pamięci każdy szczegół moich podróży do Jądra i z powrotem, wszystko, czego się tam nauczyłem i jak zmieniło to moje życie.

„Starałem się" to tak naprawdę niezbyt szczęśliwie dobrane wyrażenie. Wyraźne, przejrzyste jak kryształ wspomnienia znajdowały się dokładnie tam, gdzie je zostawiłem.

# 28

# ULTRARZECZYWISTOŚĆ

*„Są dwa sposoby oszukiwania się. Jeden polega na wierze w to, co jest nieprawdziwe, drugi na odmowie uwierzenia w to, co jest prawdziwe".*

Søren Kierkegaard (1813–1855)

Podczas pisania raz za razem jak echo powracało do mnie jedno słowo.

Rzeczywisty.

Przed zapadnięciem w śpiączkę nie miałem pojęcia, jak zwodnicze mogą być słowa. Zarówno na wydziale medycyny, jak i w szkole zdrowego rozsądku zwanej życiem nauczono mnie, że coś jest albo rzeczywiste (wypadek samochodowy, mecz piłkarski, kanapka leżąca przed nami na stole), albo nie. Podczas długoletniej kariery neurochirurga stykałem się z wieloma ludźmi, u których występowały halucynacje. Wydawało mi się, że wiem, jak bardzo przerażające mogą być tego rodzaju doznania, chociaż obiektywnie nie istnieją. Podczas kilku dni spędzonych w stanie psychotycznym przeżyłem kilka bardzo realistycznych koszmarów, lecz gdy minęły, szybko zorientowałem się, że to tylko złudzenia, fantasmagorie wzbudzane przez zespoły obwodów w mózgu wznawiającym działanie po długotrwałej bezczynności.

Lecz gdy znajdowałem się w śpiączce, trudno powiedzieć, że mój mózg funkcjonował niewłaściwie. Nie działał w ogóle. Część mózgu, która zdaniem współczesnej medycyny odpowiada za tworzenie świata, w którym żyjemy i poruszamy się, za odbiór nieobrobionych danych otrzymywanych za pośrednictwem zmysłów oraz za kształtowanie na ich podstawie sensownego obrazu wszechświata, była niesprawna. Po prostu nie działała. Mimo to żyłem i byłem świadomy. Istniałem we wszechświecie nacechowanym przede wszystkim miłością, świadomością i rzeczywistością. (Proszę, znowu rzeczywistość). Dla mnie był to fakt niepodlegający dyskusji. Świadomość tego faktu była tak dojmująca, że aż bolesna.

To, czego doświadczyłem, było bardziej rzeczywiste niż dom, w którym mieszkałem, bardziej realne niż drewniane szczapy płonące na kominku. Lecz w nabytym przeze mnie światopoglądzie naukowym nie było miejsca na tego rodzaju rzeczywistość.

Jak stworzyć dla obu rzeczywistości miejsce, w którym mogłyby współistnieć?

# 29

# WSPÓLNOTA DOŚWIADCZEŃ

Wreszcie nadszedł dzień, w którym skończyłem spisywać wspomnienia z Krainy Widzianej z Perspektywy Dżdżownicy, Tunelu i Jądra.

Następnie przyszedł czas na lekturę. Zanurzyłem się w oceanie literatury poświęconej przeżyciom z pogranicza śmierci – w oceanie, w którym wcześniej nie zamoczyłem nawet palca u nogi. Szybko się zorientowałem, że bardzo wielu ludzi przeżyło to samo co ja nie tylko w czasach nam współczesnych, lecz także w minionych stuleciach. Relacje różnią się szczegółami, jednak pojawiają się w nich pewne podobne elementy. Wiele z nich pamiętałem z własnego doświadczenia. Już w starożytnych Egipcie i Grecji opowiadano o przechodzeniu przez ciemny tunel lub dolinę do jasnej, ultrarzeczywistej krainy o żywych barwach. Anielskie istoty – skrzydlate lub bezskrzydłe – występują już w kulturach starożytnego Bliskiego Wschodu, podobnie jak wiara w to, że mają za zadanie opiekować się ludźmi na ziemi oraz wychodzić im na spotkanie po przejściu w inny wymiar istnienia. Do pozostałych powtarzających się elementów zaliczają się: zdolność widzenia we wszystkich kierunkach równocześnie, wrażenie przebywania poza liniowym czasem, a nawet poza wszystkimi wymiarami, które wcześniej uważałem za decydujące dla krajobrazu ludzkiego życia, dźwięki muzyki przypominającej hymny, którą odbierałem całym sobą, nie tylko zmysłem słuchu, bezpośrednie i natychmiastowe rozumienie pojęć, których analiza w normalnych warunkach zajęłaby bardzo dużo czasu i wymagałaby ogromnego wysiłku... intensywne odczuwanie bezwarunkowej miłości.

Czytając współczesne i pochodzące z wcześniejszych epok opisy przeżyć z pogranicza śmierci, czułem, jak narratorzy borykają się z ograniczeniami ziemskich języków, starając się wcisnąć bogactwo swoich doświadczeń w ciasny gorset języków naturalnych i pojęć, które można nimi wyrazić... i zawsze, w takim czy innym stopniu, ponoszą porażkę.

Mimo to za każdą rozczarowującą próbą zmuszenia języka do przekazania czytelnikowi niewyobrażalnej skali przeżyć kryło się coś, dzięki czemu rozumiałem, co pragnęli, lecz czego nie mogli wyrazić autorzy tych relacji.

– Tak, tak, tak! – wykrzykiwałem do siebie podczas lektury. – Wiem, o co wam chodzi.

Oczywiście wszystkie książki, wszystkie materiały z tej dziedziny istniały już wcześniej, lecz nigdy do nich nie zajrzałem. Nie tylko ich nie czytałem, lecz także ignorowałem je w inny sposób. Całkiem po prostu nigdy nie dopuszczałem do siebie myśli, że w idei, iż jakaś część nas przeżywa śmierć ciała, może tkwić ziarno prawdy. Byłem dobrodusznym, choć sceptycznym lekarzem. I jako taki mogę powiedzieć, że większość sceptyków tak naprawdę wcale nie jest sceptykami. Prawdziwy sceptycyzm wymaga zbadania i poważnego potraktowania każdego zjawiska. Podobnie jak wielu innych lekarzy, nigdy nie znalazłem czasu na zapoznanie się z przeżyciami z pogranicza śmierci. Po prostu z góry uznałem je za niemożliwe.

Przeanalizowałem również dokumentację medyczną z czasu, który spędziłem w śpiączce. Praktycznie od samego początku prowadzono ją bardzo drobiazgowo. Przeglądając zdjęcia mojego mózgu z badania rezonansem magnetycznym z pozycji lekarza określającego stan pacjenta, uświadomiłem sobie, jak bardzo byłem chory.

Bakteryjne zapalenie opon mózgowych jest wyjątkową chorobą także pod tym względem, iż poraża zewnętrzną warstwę mózgu, pozostawiając jego głębsze struktury nienaruszone. Bakterie skutecznie niszczą najpierw ludzką część naszego mózgu, a następnie powodują śmierć, atakując filogenetycznie starsze struktury odpowiedzialne za odruchy, które dzielimy ze zwierzętami. Inne choroby, które mogą wpływać na czynność kory nowej i wywołać utratę przytomności – uraz głowy, udar, krwotok mózgowy lub guz mózgu – nie niszczą tak skutecznie i tak dokładnie całej jej powierzchni. Najczęściej obejmują jedynie część kory, pozostawiając inne części nietknięte i nie zaburzając ich funkcjonowania. Ponadto uszkadzają także głębsze i bardziej pierwotne części mózgu. Z przytoczonych powyżej przyczyn bakteryjne zapalenie opon mózgowo-rdzeniowych należałoby uznać za najlepszą chorobę, jaką można sobie wyobrazić, gdybyśmy chcieli uzyskać efekt śmierci człowieka, w rzeczywistości jej nie powodując. (Chociaż niestety najczęściej właśnie tak się dzieje. Smutna prawda jest taka, że prawie wszyscy chorzy na bakteryjne zapalenie opon mózgowych umierają. Zob. załącznik A).

Chociaż przeżycia z pogranicza śmierci towarzyszą nam od zarania dziejów, termin ten (bez względu na to, czy uznaje się je za coś rzeczywistego, czy za wytwór wyobraźni) wszedł do powszechnego użycia stosunkowo niedawno. W latach sześćdziesiątych XX wieku opracowano nowe techniki medyczne umożliwiające lekarzom resuscytację pacjentów po nagłym zatrzymaniu krążenia. Pacjenci, którzy wcześniej po prostu by umarli, teraz wracają do życia. W ten sposób dzięki (zapewne nieświadomym) wysiłkom lekarzy pojawiła się grupa podróżników transziemskich – ludzi, którym udało się zerknąć za zasłonę i wrócić, by nam o tym opowiedzieć. Dzisiaj są ich miliony. W 1975 roku Raymond Moody, wtedy student medycyny, opublikował książkę pod tytułem *Życie po życiu*, w której opisał przeżycia George'a Ritchiego. Ritchie „umarł" w wyniku nagłego zatrzymania krążenia z powodu powikłań po zapaleniu płuc i przez dziewięć minut przebywał poza ciałem. Znalazł się w tunelu, odwiedził niebo i piekło, spotkał się ze świetlistym bytem, w którym rozpoznał Jezusa, a przede wszystkim odczuwał trudny do opisania spokój i dobrostan. Tak narodziła się nowożytna era opisów przeżyć z pogranicza śmierci.

Nie mogłem twierdzić, że zupełnie nie znałem książki Moody'ego, lecz na pewno nigdy jej nie czytałem. Nie musiałem, ponieważ wiedziałem, że pogląd, jakoby zatrzymanie krążenia oznaczało stan bliski śmierci, był błędny. Znaczna część literatury poświęconej doświadczeniom z pogranicza śmierci dotyczy pacjentów, których serca przestały bić na kilka minut, zwykle po wypadku lub na stole operacyjnym. Definicja zgonu jako zatrzymania krążenia jest nieaktualna mniej więcej od pięćdziesięciu lat. Wśród laików pokutuje przekonanie, że jeżeli ktoś odzyskuje świadomość po zatrzymaniu akcji serca, to „umarł", a następnie wrócił do życia, lecz medycyna już dawno zmieniła definicję śmierci (w 1968 roku określono kryteria śmierci mózgu na podstawie wyników specjalistycznych badań neurologicznych). Zatrzymanie krążenia jest jednak o tyle istotne, że nie pozostaje bez wpływu na mózg. W ciągu kilku sekund od zatrzymania pracy serca brak dopływu krwi do mózgu prowadzi do rozległych i narastających lawinowo zaburzeń funkcjonowania grup neuronów w mózgu oraz do utraty świadomości.

Od pół wieku chirurdzy przeprowadzający operacje na otwartym sercu rutynowo zatrzymują ten narząd na czas od kilku minut do kilku godzin. Funkcję serca i płuc przejmują wtedy urządzenia do krążenia pozaustrojowego. Podobnie postępują neurochirurdzy, schładzając mózg podczas niektórych zabiegów, by zwiększyć jego zdolność do przeżycia niekiedy poważnych ingerencji w jego strukturę. I śmierć mózgu nie następuje. Nawet u osoby, której serce zatrzyma się na ulicy, mogą nie wystąpić żadne uszkodzenia mózgu, pod warunkiem że ktoś rozpocznie wykonywanie resuscytacji krążeniowo-oddechowej w ciągu maksymalnie czterech minut, a serce podejmie pracę. Gdy tylko natlenowana krew dopływa do mózgu, narząd ten – a więc także jego posiadacz – przeżyje (po przelotnym epizodzie nieświadomości).

Te informacje wystarczały mi w zupełności do zlekceważenia książki Moody'ego bez jej otwierania. Ale teraz, czytając jego relację i porównując ją z tym, co sam przeszedłem, zupełnie zmieniłem zdanie na ten temat. Nie wątpiłem, że przynajmniej kilka osób opowiadających o swoich przeżyciach z pogranicza śmierci naprawdę opuściło swoje ciała. Podobieństwa z tym, czego ja sam doświadczyłem w innym wymiarze, były po prostu zbyt przekonujące.

Bardziej pierwotne struktury mojego mózgu odpowiedzialne za nadzorowanie podstawowych czynności życiowych działały przez cały czas lub przez większość czasu, jaki spędziłem w śpiączce. Lecz ta jego część, która zdaniem naukowców odpowiada za ludzką stronę mojej osobowości, nie działała. Przekonałem się o tym, analizując zdjęcia, wyniki badań laboratoryjnych i neurologicznych – bardzo szczegółową dokumentację medyczną pochodzącą z tygodnia spędzonego przeze mnie w szpitalu. Szybko zacząłem zdawać sobie sprawę, że technicznie rzecz biorąc, mój przypadek stanowi prawie doskonałą ilustrację doświadczenia z pogranicza śmierci, może nawet jedno z najbardziej przekonujących doświadczeń w całej nowożytnej historii. Nie chodziło w nim tylko o moje osobiste doznania, lecz przede wszystkim o to, że z medycznego punktu widzenia nikt nie mógł utrzymywać, iż to wszystko było wytworem fantazji.

Opis przeżyć z pogranicza śmierci w najlepszym razie przysparza poważnych trudności, cóż więc można powiedzieć o próbach przekonania przedstawicieli zawodów medycznych, którzy nie wierzą, że coś takiego jest możliwe. Ze względu na uprawiany przez siebie zawód miałem wyjątkową sposobność zaprezentować im je w bardziej strawnej postaci.

30

# POWRÓT DO ŚWIATA ŻYWYCH

*„Nadejście Śmierci zrównuje wszystkich i w równym stopniu zdumiewa wszystkich ostatnim objawieniem, któremu tylko pisarz po tamtej stronie mógłby oddać sprawiedliwość".*

Herman Melville (1819–1891)

Przez pierwszych kilka tygodni po moim powrocie do zdrowia ludzie patrzyli na mnie tak, jakbym przed chwilą wstał z grobu. Przypadkiem wpadłem na jednego z lekarzy, którzy pełnili dyżur na szpitalnym oddziale ratunkowym w dniu, kiedy mnie tam przywieziono. Nie uczestniczył bezpośrednio w opiece nade mną, lecz dobrze mi się wtedy przyjrzał.

– Skąd pan się tu wziął? – powtórzył pytanie najczęściej zadawane mi przez przedstawicieli zawodów medycznych. – Jest pan bliźniakiem Ebena czy co?

Uśmiechnąłem się, wyciągnąłem dłoń i mocno uścisnąłem jego rękę, by go przekonać, że to naprawdę ja.

Chociaż żartował na temat brata bliźniaka, w rzeczywistości zwrócił uwagę na bardzo ważny aspekt mojego nowego życia. Na dobrą sprawę żyłem w dwóch światach i jeżeli miałem zrealizować zamiar, który kilka dni wcześniej wyjawiłem Ebenowi – pomagać innym, korzystając ze swoich doświadczeń – musiałem pogodzić własne przeżycia z ustaleniami nauki. Innymi słowy, musiałem połączyć te dwa światy w jeden.

Wróciłem pamięcią do rozmowy telefonicznej, jaką odbyłem przed kilkoma laty z matką pewnej pacjentki. Zatelefonowała do mnie, gdy analizowałem obrobione cyfrowo zdjęcie guza, który miałem usunąć tamtego dnia. Przyjmijmy, że miała na imię Susanna. Jej zmarły mąż, którego nazwiemy George, był kiedyś moim pacjentem. Rozpoznano u niego guza mózgu. Mimo naszych wysiłków umarł półtora roku po potwierdzeniu diagnozy. Teraz zachorowała córka Susanny. W jej mózgu stwierdzono kilka guzów przerzutowych raka piersi. Miała przed sobą najwyżej parę miesięcy życia. Chwila na prowadzenie rozmowy nie była najlepsza, gdyż moją uwagę całkowicie pochłonęło zdjęcie z tomografii komputerowej. Planowałem kolejne etapy operacji mającej na celu precyzyjne usunięcie zmian patologicznych bez uszkodzenia przyległych tkanek mózgu. Jednak odebrałem telefon, ponieważ wiedziałem, że Susanna starała się wymyślić coś – cokolwiek, co pozwoliłoby jej uporać się z tak ogromnym obciążeniem psychicznym.

Zawsze uważałem, że gdy kogoś przygniata ciężar potencjalnie śmiertelnej choroby, tonowanie prawdy jest jak najbardziej dopuszczalne. Zniszczenie wiary śmiertelnie chorego pacjenta w wytwór jego fantazji, który może mu pomóc oswoić perspektywę śmierci, byłoby równoznaczne z odmówieniem podania mu leku przeciwbólowego. Dlatego odebrałem telefon od Susanny. Byłem jej to winien.

– Panie doktorze – powiedziała. – Moja córka miała niesamowity sen. Odwiedził ją jej ojciec. Powiedział jej, że wszystko będzie w porządku, że nie powinna się martwić śmiercią.

Takie lub podobne słowa słyszałem wiele razy z ust pacjentów. Umysł robił, co mógł, próbując uśmierzyć niepokój w sytuacji przysparzającej tak niewiarygodnego bólu. Mruknąłem zdawkowo, że sen naprawdę musiał być wspaniały.

– Ale najbardziej niesamowite było to, co miał na sobie. Miał na sobie żółtą koszulę... i filcowy kapelusz!

– No cóż, Susanno – zauważyłem pogodnie – nic mi nie wiadomo o przepisowych strojach w niebie.

– Nie – powiedziała Susanna – nie o to chodzi. Na początku naszej znajomości, kiedy zaczęliśmy się ze sobą spotykać, podarowałam George'owi żółtą koszulę. Lubił do niej nosić filcowy kapelusz, który zresztą również mu sprezentowałam. Ale koszula i kapelusz zaginęły, gdy nasz bagaż gdzieś się zawieruszył podczas podróży poślubnej. Wiedział, jak bardzo lubiłam, gdy je nosił, ale jakoś nigdy nie kupiliśmy nowych.

– Jestem pewien, że Christine słyszała wiele wspaniałych historii o koszuli i o kapeluszu – powiedziałem. – I o waszych pierwszych randkach...

– Właśnie o to chodzi – roześmiała się. – To był nasz mały sekret. Wiedzieliśmy, że innym ludziom wydałoby się to bardzo śmieszne. Po zaginięciu bagażu nikomu nie opowiadaliśmy o koszuli ani o kapeluszu. Christine nie miała o tym pojęcia. Moja córka bardzo bała się śmierci, ale teraz wie, że niepotrzebnie. Zupełnie nie ma się czego bać.

Podczas lektury odkryłem, że to, o czym opowiadała mi Susanna, było przykładem tak zwanego snu potwierdzającego, które zdarzają się dość często. Ale wtedy nie miałem jeszcze pojęcia o istnieniu innych wymiarów. Wszystko było jeszcze przede mną. Wydawało mi się, ba, byłem przekonany, że Susanna opowiedziała mi o fantazji wywołanej smutkiem. W trakcie swojej kariery zawodowej leczyłem wielu pacjentów, którzy doznawali niezwykłych przeżyć w śpiączce lub podczas operacji. Gdy opowiadali mi o niezwykłych przeżyciach, zawsze okazywałem im życzliwe zrozumienie. Byłem pewien, że te przeżycia naprawdę miały miejsce, lecz w ich umysłach. Mózg jest najbardziej wyrafinowanym – i jednocześnie chimerycznym – narzędem, jaki mamy. Jeżeli zaczniemy przy nim majstrować, na przykład obniżając ilość tlenu w mieszaninie oddechowej, właściciel mózgu znajdzie się w nieco innej rzeczywistości. Lub, mówiąc precyzyjnie, będzie inaczej odbierał rzeczywistość. Dodajmy do tego traumatyczne przeżycia związane z chorobą oraz wszystkie leki, które najprawdopodobniej zażywa, i mamy niemal stuprocentową gwarancję, że po odzyskaniu przytomności zechce się z nami podzielić niezwykłymi wspomnieniami. Mózg zaatakowany przez śmiertelnie groźne bakterie i bombardowany lekami zmieniającymi stan umysłu jest zdolny wyobrazić sobie wszystko. Wszystko – oprócz ultrarzeczywistego przeżycia, jakie stało się moim udziałem w śpiączce.

Przeszył mnie dreszcz, gdy zrozumiałem, że tamtego dnia Susanna wcale nie oczekiwała ode mnie pocieszenia. Tak naprawdę to ona próbowała pocieszyć mnie. A ja nie dostrzegłem tego, co powinno być dla mnie oczywiste. Wydawało mi się, że okazuję Susannie życzliwość, udając w nieudolny, zdawkowy sposób, że wierzę w jej opowieść. Ale nie wierzyłem. Gdy przypomniałem sobie tamtą rozmowę i dziesiątki podobnych, zrozumiałem, jak długą drogę mam przed sobą, jeżeli naprawdę chcę przekonać swoich kolegów lekarzy o prawdziwości moich przeżyć.

31

# TRZY OBOZY

*„Twierdzę, że redukcjonizm naukowy niewiarygodnie trywializuje tajemnicę człowieczeństwa, obiecując dostarczenie definitywnych materialistycznych objaśnień całego świata duchowego w kategoriach prawidłowości rządzących działaniem neuronów. To przekonanie należy uznać za przesąd (...) Musimy dostrzec, że jesteśmy jednocześnie istotami duchowymi, których dusze istnieją w świecie ducha, oraz istotami materialnymi, których ciała i mózgi istnieją w świecie materialnym".*

sir John C. Eccles (1903–1997)

Jeżeli chodzi o postawy wobec przeżyć z pogranicza śmierci, istnieją trzy zasadnicze obozy. Są ludzie wierzący: ci, którzy sami przeżyli tego rodzaju doświadczenia lub przyznają, że są one możliwe. Są oczywiście zatwardziali niewierzący (podobnie jak kiedyś ja). Jednak ludzie należący do tej grupy sami myślą o sobie zupełnie inaczej. Po prostu „wiedzą", że mózg wytwarza świadomość, i zwalczają zwariowane pomysły, takie jak istnienie umysłu poza ciałem (chyba że akurat wydaje im się, że okazują życzliwość, pocieszając kogoś, tak jak mnie podczas rozmowy z Susanną).

Istnieje też grupa pośrednia. Zaliczają się do niej ci, którzy wiedzą o tego rodzaju doświadczeniach, bo o nich czytali, oraz ci, których znajomi lub najbliżsi przeżyli coś podobnego (wbrew pozorom zdarza się to bardzo często). Opowieści o innym wymiarze wywierają znaczny wpływ na ich życie. Właśnie tej grupie moja historia mogłaby naprawdę pomóc. Gdy jednak jej przedstawiciele chcą się czegoś dowiedzieć od lekarzy lub naukowców – w naszym społeczeństwie pełniących funkcję oficjalnych strażników wiedzy na temat tego, co można uznać za rzeczywistość – zbyt często powtarza im się taktownie, acz stanowczo, że tego rodzaju przeżycia są tylko wytworami fantazji: ubocznymi produktami działania mózgu walczącego o utrzymanie się przy życiu i niczym więcej.

Jako lekarz, który przeszedł to, co przeszedł, miałem do opowiedzenia zupełnie inną historię. Im dłużej nad tym myślałem, tym bardziej utwierdzałem się w przekonaniu, że powinienem to zrobić.

Przeanalizowałem po kolei wszystkie możliwe hipotezy najczęściej proponowane przez moich kolegów po fachu, które ich zdaniem „wyjaśniały" tego rodzaju doznania. Muszę przyznać, że kiedyś ja też zachowałbym się tak samo. (Hipotezy neurobiologiczne omówiłem bardziej szczegółowo w załączniku B).

Czy moje przeżycia można było opisać w kategoriach pierwotnego programu wykonywanego przez pień mózgu, który rozwinął się w toku ewolucji, by złagodzić cierpienie typowe dla ostatnich chwil życia, przypominającego strategię „udawania śmierci" stosowaną przez ssaki niższe? Natychmiast odrzuciłem tę możliwość. Tak niesamowicie wyrafinowane doznania wizualne i słuchowe oraz złożoność odbieranych znaczeń po prostu nie mogły stanowić wytworu gadziej części mojego mózgu.

A może były to zniekształcone wspomnienia pochodzące z głębszych części mojego układu limbicznego, części mózgu odpowiadającej za stany emocjonalne? Znów muszę powiedzieć „nie", gdyż bez działającej kory nowej układ limbiczny nie mógł wytwarzać tak spójnych logicznie i klarownych wizji.

W takim razie może przeżyłem coś w rodzaju psychodelicznych wizji wywoływanych przez niektóre spośród (wielu) leków, jakie mi podawano? Należy jednak pamiętać, że wszystkie te środki oddziałują na receptory zlokalizowane w korze nowej. A skoro kora nowa nie działała, nie miały one żadnego pola do popisu.

A może dałoby się wszystko wyjaśnić zjawiskiem znanym jako intruzje snu REM? Taką nazwę nosi zespół chorobowy związany z fazą szybkich ruchów gałek ocznych (czyli z tą, w której występują marzenia senne). Polega on na niekontrolowanych oddziaływaniach naturalnych neuroprzekaźników, takich jak serotonina, na receptory zlokalizowane w korze nowej. Znów pudło. Intruzje snu REM również wymagają sprawnej kory nowej.

Z kolei hipotetyczne zjawisko znane jako „wyrzut DMT" polega na tym, że szyszynka, reagując na stres związany z zagrożeniem dla mózgu, wytwarza substancję zwaną DMT (lub N,N-dwumetylotryptaminą). DMT ma budowę zbliżoną do serotoniny, a jej działanie może powodować nadzwyczajnie intensywne doznania psychodeliczne. Nie miałem i nadal nie mam żadnych osobistych doświadczeń z DMT, lecz nie spieram się z osobami, które twierdzą, że związek ten może wywoływać niezwykle barwne wizje. Być może kiedyś pomoże nam zrozumieć, czym tak naprawdę są świadomość i rzeczywistość.

Jednak fakt pozostaje faktem – część mózgu, na którą oddziałuje DMT (kora nowa), w moim wypadku nie funkcjonowała, dlatego hipoteza o wyrzucie DMT nie nadaje się do wyjaśnienia moich przeżyć, zresztą z tego samego powodu co wyżej wymienione. Związki halucynogenne wpływają na korę nową, więc w moim wypadku nie miały na co wpływać.

Ostatnią hipotezą, na którą zwróciłem uwagę, był tak zwany reset umysłu. Zgodnie z tą teorią źródłem moich przeżyć były niepowiązane ze sobą wspomnienia i myśli pochodzące z czasów, zanim moja kora nowa zupełnie przestała działać. Podobnie jak komputer po wystąpieniu poważnego błędu systemowego stara się za wszelką cenę ratować dane, mój mózg najlepiej jak potrafił starał się połączyć ze sobą najróżniejsze fragmenty myśli, co miało dać w wyniku opisywane przeze mnie wizje. Zapewne stało się to po wznowieniu działania kory po długotrwałej przerwie, w moim wypadku spowodowanej zapaleniem opon mózgowo-rdzeniowych.

Jednak omawiana hipoteza wydaje się bardzo nieprawdopodobna ze względu na poziom skomplikowania oraz interaktywny charakter moich wspomnień. W świecie duchowym bardzo intensywnie doświadczałem czasu biegnącego nieliniowo, więc teraz rozumiem, dlaczego z naszej ziemskiej perspektywy tak wiele opowieści o innych wymiarach egzystencji wydaje się bezsensownych. W światach ponad naszym czas po prostu nie zachowuje się tak jak tutaj. Wydarzenia niekoniecznie muszą następować jedno po drugim. Chwila może trwać przez całe życie, a kiedy indziej życie kurczy się do rozmiarów chwili. Lecz chociaż w innych światach czas nie zachowuje się w znany (nam) sposób, nie oznacza to, że jest zupełnie poplątany. Moje wspomnienia z innego wymiaru wcale takie nie były. Wiem, że czwartego i piątego wieczora mojej śpiączki kontaktowała się ze mną Susan Reintjes, wiem też, że pod koniec mojej podróży pojawiło się sześć twarzy. Wszelkie pozostałe przykłady współwystępowania wydarzeń na ziemi i w innych wymiarach opierają się wyłącznie na moich przypuszczeniach!

Im więcej dowiadywałem się o swojej chorobie oraz o przeżyciach, których w jej trakcie doświadczyłem, im bardziej starałem się znaleźć objaśnienie tego, co się zdarzyło, korzystając z aktualnej literatury naukowej, tym większe ponosiłem porażki. Wszystko – niesamowita klarowność moich wizji, jasność myśli jako czystego strumienia pojęć – sugerowało zaangażowanie wyższych czynności poznawczych, a nie niższych, automatycznych odruchów. Kłopot polegał na tym, że odpowiedzialna za te pierwsze część mózgu właśnie wtedy nie działała.

Im więcej znajdowałem „naukowych" wyjaśnień zjawisk z pogranicza śmierci, tym bardziej zdumiewałem się ich widoczną na pierwszy rzut oka miałkością. Uświadomiłem sobie jednocześnie, że gdyby ktoś zapytał mnie o zdanie na ten temat, „ja sprzed lat" z pewnością odwołałbym się do tych samych argumentów.

Od ludzi, którzy nie są lekarzami, trudno oczekiwać takiej wiedzy. Gdyby coś, czego doświadczyłem, przydarzyło się komuś innemu – komukolwiek – byłoby to wystarczająco nadzwyczajne. Lecz zdarzyło się mnie... No cóż, stwierdzenie, że zdarzyło się to właśnie mnie „z jakiegoś powodu", trochę mnie zaniepokoiło. Jako lekarza od razu uderzyło mnie, jak patetycznie, jak wręcz górnolotnie, brzmią te słowa. Lecz gdy powiązałem z sobą ciąg nieprawdopodobnych zdarzeń – zwłaszcza zapadnięcie na zapalenie opon mózgowych wywołane przez pałeczkę okrężnicy, które precyzyjnie i całkowicie zablokowało działanie mojej kory mózgowej, a także szybki oraz pełny powrót do zdrowia po zasadniczo śmiertelnej chorobie – po prostu nie mogłem nie brać poważnie pod uwagę możliwości, że miałem w tym do odegrania jakąś rolę.

Myśl ta sprawiła, że poczułem większą odpowiedzialność za właściwe opowiedzenie całej historii.

Zawsze starałem się na bieżąco czytać najnowszą literaturę naukową z mojej dziedziny. Gdy miałem coś wartościowego do powiedzenia, pisałem artykuły. Moja podróż do innego świata była właśnie takim tematem – prawdziwą nowiną w medycynie – dlatego skoro udało mi się wrócić do zdrowia, tym bardziej nie zamierzałem siedzieć cicho.

Z medycznego punktu widzenia mój powrót do zdrowia graniczył z niemożliwością, a więc zaliczał się do cudów medycznych. Lecz sedno sprawy tkwiło w wymiarach, które odwiedziłem, więc miałem obowiązek opowiedzieć swoją historię nie tylko jako naukowiec i osoba głęboko szanująca naukowe metody badawcze, lecz także jako lekarz. Opowieść, zwłaszcza prawdziwa, leczy tak samo skutecznie jak medycyna. Susanna dobrze o tym wiedziała, gdy zatelefonowała do mnie tamtego dnia. Ja także przeżyłem coś podobnego, gdy skontaktowała się ze mną moja biologiczna rodzina. W pewnym sensie doznałem ukojenia. Jakim byłbym lekarzem, gdybym nie podzielił się z innymi tą wieścią?

Po upływie trochę ponad dwóch lat od przebudzenia ze śpiączki odwiedziłem bliskiego przyjaciela, który stał na czele jednego z najlepszych akademickich wydziałów neurobiologii na świecie. Znam Johna (imię zmienione) od kilkudziesięciu lat. Uważam go za wspaniałego człowieka i pierwszorzędnego naukowca.

Gdy opowiedziałem mu o podróży, którą odbyłem w śpiączce, odniosłem wrażenie, że nie posiada się ze zdumienia. Nie, nie wyglądał jak ktoś, kto uznał, iż zwariowałem, lecz jak ktoś, kto wreszcie zrozumiał coś, co od dawna nie dawało mu spokoju.

Okazało się, że mniej więcej rok wcześniej ojciec Johna zbliżał się do kresu ciągnącej się przez pięć lat choroby. Był niesprawny, otępiały, bardzo cierpiał i pragnął jak najprędzej umrzeć.

– Proszę – błagał Johna, leżąc na łożu śmierci. – Daj mi jakieś pigułki, zastrzyk albo coś w tym rodzaju. Dłużej nie wytrzymam.

Pewnego dnia, zupełnie niespodziewanie, starcza demencja ustąpiła. Ojciec Johna zaczął się dzielić z nim filozoficznymi spostrzeżeniami na temat życia i rodziny. Potem odwrócił głowę i zaczął rozmawiać z powietrzem u stóp swojego łóżka. Mój przyjaciel zorientował się, że jego ojciec gawędzi ze swoją matką, która zmarła sześćdziesiąt pięć lat wcześniej. Dotąd prawie o niej nie wspominał, lecz teraz toczył z nią radosną, ożywioną rozmowę. John nie widział babki, lecz był przekonany, że do szpitalnej sali przybył jej duch, by przywitać ducha swojego syna na progu nowego wymiaru.

Po kilku minutach ojciec Johna znów zwrócił się do niego. Teraz wyglądał zupełnie inaczej. Uśmiechał się, wyraźnie odprężony i pogodzony z losem, spokojniejszy niż kiedykolwiek wcześniej.

– Spróbuj zasnąć, tato – powiedział John. – Nie martw się. Wszystko w porządku.

Ojciec posłuchał. Zamknął oczy i zasnął z wyrazem zupełnego spokoju na twarzy. Niedługo potem zmarł.

John czuł, że jego ojciec naprawdę rozmawiał ze swoją matką, lecz nie miał pojęcia, co z tym począć, ponieważ jako lekarz wiedział, że tego rodzaju rzeczy są po prostu „niemożliwe". Medycyna zna wiele przykładów odzyskiwania jasności umysłu przez chorych na demencję starszych ludzi u kresu życia. Nie potrafimy tego wytłumaczyć na gruncie obecnej wiedzy neurobiologicznej. Opowiadając swoją historię, pozwoliłem mu uwierzyć w prawdziwość tego, co widział na własne oczy, poznać głęboką i kojącą prawdę: nasze wieczne, duchowe ja jest bardziej rzeczywiste niż to, które oglądamy w świecie fizycznym, dzięki boskiemu związkowi z nieskończoną miłością Stwórcy.

## 32

# WIZYTA W KOŚCIELE

*„Życie można przeżyć tylko na dwa sposoby: tak, jakby nic nie było cudem, lub tak, jakby cudem było wszystko".*

Albert Einstein (1879–1955)

Do kościoła wybrałem się dopiero w grudniu 2008 roku, gdy Holley przekonała mnie do pójścia na nabożeństwo w drugą niedzielę adwentu. Byłem jeszcze osłabiony, wychudzony i z trudem chodziłem. Razem z żoną usiedliśmy w pierwszym rzędzie. Tamtego dnia przy ołtarzu stanął Michael Sullivan. Zapytał, czy chciałbym zapalić drugą świecę na wieńcu adwentowym. Nie miałem na to ochoty, ale coś mi podpowiedziało, że powinienem. Wstałem, wsparłem się na mosiężnym okuciu ławki i z niespodziewaną łatwością podszedłem do ołtarza.

Moje wspomnienia czasu spędzonego poza ciałem były jeszcze bardzo świeże. Wszędzie gdzie się odwróciłem, w miejscu, które przedtem specjalnie mnie nie poruszało, teraz dostrzegałem sztukę i słyszałem muzykę, które przywoływały wszystkie wspomnienia. Pulsująca basowa nuta hymnu odzwierciedlała dyskomfort i przygnębienie, jakie odczuwałem w Krainie Widzianej z Perspektywy Dżdżownicy. Witraże z chmurami i aniołami kojarzyły mi się z niebiańskim pięknem Tunelu. Malowidło Jezusa łamiącego chleb z uczniami przywiodło mi na myśl łączność z Jądrem. Zadrżałem, gdy przypomniałem sobie rozkosz nieskończonej, bezwarunkowej miłości, której tam doznałem.

Wreszcie zrozumiałem, o co tak naprawdę chodzi w religii, a przynajmniej o co powinno w niej chodzić. Nie tylko wierzyłem w Boga, lecz także dane mi było go poznać. Gdy kuśtykając, szedłem do ołtarza, by przyjąć komunię, po policzkach płynęły mi strumienie łez.

# 33

# ZAGADKA ŚWIADOMOŚCI

*„Jeżeli naprawdę poszukujesz prawdy, powinieneś, bodaj raz w życiu, zwątpić, w miarę możności, we wszystko".*

Kartezjusz (1596–1650)

Mniej więcej po dwóch miesiącach odzyskałem dawną wiedzę z dziedziny neurochirurgii. Odkładając na chwilę na bok cud, że w ogóle wróciła (nie znalazłem medycznego precedensu mojego przypadku – takiego, w którym mózg poddany długotrwałemu, zmasowanemu atakowi bakterii Gram-ujemnych powróciłby do pełnej sprawności), wciąż borykałem się z faktem, że wszystko, czego się nauczyłem podczas czterdziestu lat nauki i pracy o ludzkim mózgu, wszechświecie i o tym, czym jest rzeczywistość, kolidowało z tym, czego doświadczyłem podczas siedmiu dni spędzonych w śpiączce. Zanim zachorowałem, byłem nieszczególnie mocno wierzącym lekarzem, który spędził całą swoją karierę w kilku spośród najbardziej prestiżowych instytucji badawczych na świecie, starając się zrozumieć związki między mózgiem człowieka i zjawiskiem świadomości. Nie chodziło o to, że nie wierzyłem w świadomość. Po prostu głębiej niż większość ludzi uświadamiałem sobie gigantyczne techniczne nieprawdopodobieństwo, że świadomość mogłaby istnieć niezależnie od świata materialnego!

W latach dwudziestych XX wieku fizyk Werner Heisenberg (wraz z innymi twórcami mechaniki kwantowej) dokonał odkrycia tak osobliwego, że świat do dziś nie bardzo potrafi się z nim pogodzić. Obserwując zjawiska w skali subatomowej, nie da się zupełnie oddzielić obserwatora (to znaczy naukowca przeprowadzającego eksperyment) od przedmiotu obserwacji. W codziennym życiu łatwo przechodzimy nad tym do porządku dziennego. Postrzegamy wszechświat jako miejsce pełne istniejących osobno przedmiotów (stoły i krzesła, ludzie i planety), które od czasu do czasu wchodzą we wzajemne oddziaływania, lecz które mimo to pozostają zasadniczo indywidualnymi bytami. Na poziomie subatomowym wszechświat oddzielnych przedmiotów okazuje się jednak zupełnym złudzeniem. W krainie mikroskopijnie małych obiektów każdy przedmiot w fizycznym wszechświecie jest ściśle powiązany ze wszystkimi innymi. W rzeczywistości na świecie nie istnieją przedmioty jako takie, lecz wibracje energii i wzajemne powiązania.

Pociągało to za sobą dość oczywisty wniosek, chociaż nie dla wszystkich. Nie da się dotrzeć do sedna rzeczywistości wszechświata bez użycia świadomości. Świadomość nie tylko nie jest mało ważnym produktem ubocznym procesów fizycznych (jak uważałem przed śpiączką), nie tylko jest bardzo rzeczywista, lecz jest wręcz bardziej rzeczywista niż reszta materialnej egzystencji i najprawdopodobniej stanowi podstawę wszystkiego. Nauka, tworząc obraz rzeczywistości, nie uwzględniła jeszcze żadnego z tych spostrzeżeń. Wielu naukowców stara się tego dokonać, lecz na razie nie ma żadnej „uniwersalnej teorii wszystkiego", która połączyłaby prawa mechaniki kwantowej z teorią względności w sposób uwzględniający świadomość.

Wszystkie przedmioty w fizycznym (materialnym) wszechświecie składają się z atomów. Atomy z kolei składają się z protonów, elektronów i neutronów. Te z kolei składają się (jak odkryli fizycy również na początku XX wieku) z jeszcze bardziej elementarnych cząstek. Z kolei te cząstki składają się z... No cóż, szczerze mówiąc, fizycy właściwie nie wiedzą z czego. O cząstkach wiemy jednak tyle, że każda z nich jest połączona ze wszystkimi innymi we wszechświecie. Na najgłębszym poziomie wszystkie są ze sobą sprzężone.

Przed wyprawą w inny wymiar orientowałem się ogólnie we wszystkich tych nowoczesnych ideach naukowych, lecz były one dla mnie dość odległe. W świecie, na którym żyłem i działałem – w świcie samochodów, domów, stołów operacyjnych i pacjentów, którzy wracali do zdrowia lub nie, częściowo zależnie od wyniku przeprowadzanej przeze mnie operacji – te fakty rodem z fizyki cząstek elementarnych nie odgrywały zbyt dużej roli. Zapewne były prawdziwe, lecz nie dotyczyły mojej codziennej rzeczywistości.

Lecz gdy pozostawiłem za sobą ciało, doświadczyłem ich bezpośrednio. Z dużą dozą pewności mogę stwierdzić, że mimo iż wtedy nie znałem tego określenia, w Tunelu i w Jądrze w rzeczywistości „zajmowałem się nauką". Nauką, która odwoływała się do najprawdziwszego i najbardziej wyrafinowanego narzędzia do badań naukowych, jakie posiadamy: do samej świadomości.

Im więcej o tym myślałem, tym bardziej byłem przekonany, że moje odkrycie nie tylko było interesujące lub wstrząsające. Było naukowe. Zależnie od rozmówcy, świadomość stanowi albo największą tajemnicę, przed którą stoją badania naukowe, albo zupełnie nie istnieje jako problem. Zaskakująco wielu naukowców podziela tę drugą opinię. Wielu, może nawet większość spośród nich, nie zawraca sobie głowy świadomością, ponieważ ich zdaniem stanowi ona jedynie produkt uboczny procesów fizycznych. Wielu naukowców idzie dalej, mówiąc, że nie tylko świadomość jest zjawiskiem wtórnym, lecz także nie ma dla niej miejsca w rzeczywistości.

Wielu najznamienitszych badaczy neurobiologii świadomości i filozofii umysłu ma jednak zupełnie odmienne zdanie. Od kilkudziesięciu lat borykają się z „trudnym problemem świadomości". Chociaż idea ta istnieje od dość dawna, dopiero David Chalmers zdefiniował ją w swojej wspaniałej książce *Świadomy umysł* wydanej w 1996 roku. Problem istnienia świadomego doświadczenia można sprowadzić do następujących pytań:

W jaki sposób mózg człowieka wytwarza świadomość?

Jakie związki łączą świadomość z zachowaniami, którym towarzyszy?

Jakie związki łączą świat postrzegany ze światem rzeczywistym?

Problem ten jest tak zawiły, iż zdaniem niektórych myślicieli odpowiedź wykracza poza granice nauki. Moim zdaniem fakt, że leży on poza obecnymi granicami nauki, w żaden sposób nie umniejsza wagi zjawiska świadomości, wręcz przeciwnie, stanowi wskazówkę co do jej niesamowicie ważnej roli we wszechświecie.

Ponadczterystuletnia dominacja naukowych metod badawczych zakorzenionych jedynie w krainie fizyki przyczyniła się do powstania poważnego problemu: straciliśmy kontakt z głęboką tajemnicą kluczową dla naszego istnienia – z naszą świadomością. Pod różnymi nazwami można ją znaleźć w różnych światopoglądach. Stanowiła centralny element religii przednowoczesnych, lecz utraciliśmy ją w naszej świeckiej zachodniej kulturze, coraz bardziej zakochując się w potędze nowoczesnej nauki i technologii.

Mimo niezaprzeczalnych sukcesów cywilizacji zachodniej świat zapłacił wysoką cenę w postaci utraty najważniejszego elementu istnienia: ludzkiego ducha. Ciemne strony zaawansowanych technologii – wojny, bezmyślne zabijanie, samobójstwa, problemy nękające miasta, problemy ekologiczne, katastrofalne zmiany klimatu, polaryzacja zasobów gospodarczych – są złe. Ale o wiele gorsze jest skupienie się wyłącznie na wykładniczym postępie naukowym i technicznym. Wielu z nas straciło poczucie sensu życia, radość i świadomość, jak nasze życie wpasowuje się w wielki plan istnienia na całą wieczność.

Konwencjonalna nauka nie radzi sobie z pytaniami dotyczącymi duszy, życia pozagrobowego, reinkarnacji, Boga i nieba. Sugeruje wręcz, że nie istnieją. Podobnie traktuje zjawiska zwane umownie rozszerzoną świadomością, takie jak zdalne postrzeganie, postrzeganie pozazmysłowe, telekineza, jasnowidzenie, telepatia i prekognicja. Przed śpiączką wątpiłem w ich prawdziwość, przede wszystkim dlatego, że nigdy nie doświadczyłem ich na głębszym poziomie, oraz dlatego, że nie potrafiłem ich wyjaśnić, odwołując się do symplicystycznego naukowego oglądu świata, jaki wtedy wyznawałem.

Podobnie jak wielu innych sceptyków nie miałem ochoty zapoznawać się z danymi istotnymi dla analizy tych zjawisk. Z góry negatywnie osądzałem wszelkie informacje na ten temat oraz ich źródła, ponieważ nie miałem najmniejszego pojęcia, jak tego rodzaju zjawiska mogłyby funkcjonować. Ci, którzy mimo przygniatających dowodów upierają się, że rozszerzona świadomość nie istnieje, rozmyślnie tkwią w niewiedzy. Uważają, że znają prawdę, a jeżeli fakty jej przeczą, to tym gorzej dla faktów.

Wszystkim nadal tkwiącym w pułapce naukowego sceptycyzmu polecam doniosłą pracę autorstwa grupy bardzo cenionej grupy naukowców z wydziału badań nad percepcją działającego na Uniwersytecie Wirginii. Książkę zatytułowaną *Irreducible Mind. Toward a Psychology for the 21st Century* (Nieredukowalny umysł. Ku psychologii XXI wieku) wydano w 2007 roku. Zawiera ona rygorystyczną analizę dowodów na istnienie świadomości poza ciałem. Autorzy dokonują wyczerpującego przeglądu istotnych danych oraz prezentują nieuchronny wniosek: tego rodzaju zjawiska istnieją naprawdę, a my musimy próbować zrozumieć ich naturę, jeżeli chcemy zrozumieć rzeczywistość naszego istnienia.

Daliśmy się zwieść myśleniu, że światopogląd naukowy szybko zbliża się do opracowania ogólnej teorii wszystkiego, która nie pozostawi zbyt dużo miejsca na pojęcia takie jak dusza, duch, niebo czy Bóg. Podróż, którą odbyłem w stanie głębokiej śpiączki do świata niematerialnego, do wspaniałego miejsca zamieszkania wszechmocnego Stwórcy, ukazała mi, jak nieopisanie gigantyczna otchłań dzieli naszą ludzką wiedzę od budzącego respekt królestwa Boga.

Każdy z nas zna własną świadomość lepiej niż wszystko inne, mimo to mamy znacznie więcej do powiedzenia na temat reszty wszechświata niż na temat mechanizmu działania świadomości. Jest dla nas czymś tak bliskim, tak codziennym, że prawie zawsze pozostaje dla nas nieosiągalna. W fizyce świata materialnego (kwarki, elektrony, fotony, atomy itd.), a zwłaszcza w zawiłej budowie mózgu, nie ma nic, co dawałoby nam choćby najdrobniejszą wskazówkę, jak działa mechanizm naszej świadomości.

Najlepszym dowodem realności krainy ducha jest głęboka tajemnica naszego świadomego istnienia. To tajemnicze zjawisko przekracza zdolności pojmowania fizyków i neurobiologów, a ich porażka w tej dziedzinie zaciemniła bliskie związki świadomości z mechaniką kwantową – a przez to także z rzeczywistością fizyczną.

Chcąc głębiej zbadać wszechświat, musimy uznać zasadniczą rolę świadomości w obrazowaniu rzeczywistości. Wyniki eksperymentów w dziedzinie mechaniki kwantowej wstrząsnęły znakomitymi umysłami naukowców działających w tej dziedzinie, z których wielu (Werner Heisenberg, Wolfgang Pauli, Niels Bohr, Erwin Schrödinger,

James Jean, by wymienić tylko kilku) w poszukiwaniu odpowiedzi zwróciło się ku mistycyzmowi. Zrozumieli, że nie da się rozdzielić eksperymentatora od eksperymentu ani wyjaśnić rzeczywistości bez odwoływania się do świadomości. Podczas pobytu poza ciałem odkryłem nieopisany ogrom i złożoność struktury wszechświata oraz fakt, że świadomość stanowi podstawę wszystkiego, co istnieje. Byłem z nim tak blisko związany, że często nie istniało żadne realne rozróżnienie między „mną" i światem, przez który podróżowałem. Gdybym miał podsumować wszystko, czego byłem świadkiem, powiedziałbym, że wszechświat jest o wiele większy, niż nam się wydaje, gdy patrzymy tylko na jego widzialne części. (Rzeczywiście nie jest to zbyt rewolucyjne spostrzeżenie, gdyż nawet konwencjonalna nauka uznaje, iż 96 procent wszechświata składa się z ciemnej materii i ciemnej energii. Ale czym one właściwie są?* Na razie nikt nie potrafi odpowiedzieć na to pytanie. Lecz tym, co zadecydowało o niezwykłości mojego doświadczenia, była niesamowita bezpośredniość, z jaką doznawałem zasadniczej roli świadomości lub ducha. Gdy dowiadywałem się tego tam, w górze, nie była to teoria, lecz fakt tak

---

* 70 procent stanowi ciemna energia, najbardziej tajemnicza postać energii, odkryta przez astronomów w połowie lat dziewięćdziesiątych XX wieku. Badając gwiazdy supernowe typu Ia, znaleźli oni niezaprzeczalne dowody na to, że przez ostatnie pięć miliardów lat wszechświat rozszerza się, a tempo ekspansji wzrasta. Pozostałe 26 procent to ciemna materia – „nadmiar" grawitacji zaobserwowany w ciągu ostatnich kilkudziesięciu lat na podstawie anomalii rotacji galaktyk i ich gromad. Kiedyś uda nam się zaproponować wyjaśnienia tych zjawisk, lecz za nimi z pewnością przyjdą kolejne tajemnice.

przejmujący i bezpośredni jak podmuch arktycznego powietrza). Po drugie, my – każdy z nas – jesteśmy misternie, nierozerwalnie powiązani z szerszym wszechświatem. To nasz prawdziwy dom, dlatego jeżeli myślimy, że świat materialny jest najważniejszy, zachowujemy się tak, jakbyśmy zamknęli się w ciasnym gabinecie i uparcie wyobrażali sobie, że poza nim nic innego nie istnieje. Po trzecie: decydująca moc wiary w przewagę umysłu nad materią. Jako student medycyny wiele razy zdumiewałem się niesamowitą potęgą efektu placebo. Wszelkie terapie i leki badane kliniczne musiały pokonać barierę 30 procent, w przeciwnym razie ich skuteczność przypisywano wierze pacjenta, że otrzymuje lek, który mu pomoże, nawet gdyby była to substancja zupełnie nieaktywna. Zamiast dostrzec potęgę wiary i jej wpływ na nasze zdrowie, lekarze uważają, że „szklanka jest do połowy pusta", a efekt placebo stanowi przeszkodę do wykazania skuteczności terapii.

W sercu zagadki mechaniki kwantowej leży mylność naszej koncepcji czasu i przestrzeni. Reszta wszechświata – czyli jego zdecydowana większość – wcale nie jest od nas odległa w przestrzeni. Tak, przestrzeń fizyczna wydaje się rzeczywista, lecz jednocześnie ograniczona. Wymiary całego fizycznego wszechświata są niczym w porównaniu z królestwem ducha, z którego powstał, z królestwem świadomości (niektórzy nazywają je „siłą życiową").

Ten inny, nieskończenie większy wszechświat wcale nie jest daleko. W rzeczywistości znajduje się tutaj – właśnie tutaj, gdzie jestem, pisząc to zdanie, i również tam, gdzie jesteś ty, Czytelniku, czytając te słowa. Z fizycznego punktu widzenia jest blisko, lecz istnieje w innym pasmie rzeczywistości. Istnieje tu i teraz, lecz my jesteśmy tego nieświadomi, ponieważ najczęściej zamykamy się na częstotliwości, na których on się objawia. Zamieszkujemy znajome wymiary przestrzeni i czasu, ograniczeni funkcjonowaniem naszych zmysłów oraz zjawiskiem skalowania percepcji od poziomu kwantowego aż do poziomu całego wszechświata. Te wymiary, mimo że mają wiele zalet, wykluczają nas z innych wymiarów, które również istnieją.

Dawno temu odkryli to wszystko starożytni Grecy, więc ja jedynie odkrywałem dla siebie coś, na co już dawno natrafili: najlepiej rozumieją się podobieństwa. Wszechświat jest zbudowany w taki sposób, że chcąc naprawdę zrozumieć choćby jeden spośród wielu jego wymiarów i poziomów, musimy stać się częścią tego wymiaru. Wyrażając się nieco precyzyjniej, musimy się otworzyć na tożsamość z częścią wszechświata, która już w nas jest, lecz której istnienia możemy nie być świadomi.

Wszechświat nie ma początku ani końca, a Bóg przenika każdą jego cząstkę. Wiele, a tak naprawdę większość z tego, co ludzie mają do powiedzenia o Bogu i wyższych światach duchowych, polega na sprowadzaniu ich do naszego poziomu zamiast na wynoszeniu naszego postrzegania na ich poziom. Naszymi nieudolnymi opisami nie oddajemy sprawiedliwości ich wspaniałej naturze.

Lecz chociaż wszechświat nigdy się nie zaczął i nigdy się nie skończy, posiada znaki interpunkcyjne, których celem jest powoływanie bytów do istnienia oraz do uczestnictwa w chwale Boga. Wielki wybuch, w wyniku którego powstał nasz wszechświat, to właśnie jeden z tych twórczych „znaków interpunkcyjnych". Om postrzegał wszystko z zewnątrz, obejmował całość stworzenia, wykraczał nawet poza moje pole widzenia w wyższych wymiarach. Tam widzieć oznaczało wiedzieć. Różnica między doświadczaniem i rozumieniem czegoś nie istniała.

„Byłem ślepy, a teraz widzę" – te słowa nabrały teraz nowego znaczenia, gdy zrozumiałem, jak bardzo jesteśmy ślepi tu, na ziemi, na pełną naturę duchowego wszechświata, zwłaszcza ludzie tacy jak kiedyś ja, którzy uważają, że materia to istota rzeczywistości, a wszystko inne – myśl, świadomość, idee, emocje, duch – są jedynie jej wytworami.

To objawienie niezwykle mnie zainspirowało, ponieważ pozwoliło mi dostrzec zdumiewające możliwości, jakie pojawiają się w naszym zasięgu, gdy pozostawimy za sobą ograniczenia naszego ciała i mózgu.

Humor. Ironia. Tragizm. Zawsze uważałem je za cechy, które rozwijali w sobie ludzie, by móc radzić sobie z tym często bolesnym i niesprawiedliwym światem. Ale oprócz tego, że są źródłem pocieszenia, stanowią również krótkie, przelotne, lecz bardzo ważne przejawy zrozumienia faktu, że bez względu na problemy, z którymi borykamy się na tym świecie, tak naprawdę nie dosięgają one większych, wiecznych istot, którymi w rzeczywistości jesteśmy. Śmiech i ironia to znaki przypominające nam, że nie jesteśmy więźniami w tym świecie, lecz tylko podróżujemy po nim.

Jest jeszcze jedna dobra wiadomość: nie musimy zbliżyć się do śmierci, chcąc zerknąć za zasłonę, wymaga to jednak sporego nakładu pracy. Na początek powinniśmy się uczyć o innym wymiarze z książek i dostępnych prezentacji, chociaż w ostatecznym rozrachunku każdy z nas musi zagłębić się we własną świadomość poprzez modlitwę lub medytację, by uzyskać dostęp do tych prawd.

Istnieje wiele różnych rodzajów medytacji. Odkąd obudziłem się ze śpiączki, najchętniej korzystam z metody opracowanej przez Roberta A. Monroe, założyciela instytutu swojego imienia w Faber w Wirginii. Jej niezaprzeczalną zaletę stanowi nieobecność wszelkich filozofii dogmatycznych. Jedyny dogmat jego systemu brzmi: jestem czymś więcej niż ciałem. To proste stwierdzenie ma bardzo głębokie implikacje.

W latach pięćdziesiątych XX wieku Robert Monroe odnosił sukcesy jako producent programów radiowych w Nowym Jorku. Badając przydatność nagrań dźwiękowych jako metody uczenia się we śnie, zaczął postrzegać świat spoza własnego ciała fizycznego. Szczegółowe badania prowadzone przez ponad czterdzieści lat doprowadziły do powstania skutecznego systemu umożliwiającego eksplorację głębokiej świadomości w oparciu o opracowaną przez niego metodę znaną jako hemi-sync lub synchronizacja półkul mózgowych.

Dzięki hemi-sync można nie tylko selektywnie wzmacniać świadomość i poprawiać wyniki funkcjonowania umysłu dzięki wytworzeniu stanu głębokiej relaksacji, lecz także wzbudzać różne stany świadomości dające dostęp do odmiennych trybów percepcji, w tym medytacji głębokiej oraz stanów mistycznych. W metodzie tej wykorzystuje się wiedzę z dziedziny akustyki do uzyskiwania synchronizacji fal mózgowych, co świadczy o ich związku z percepcyjną i behawioralną psychologią świadomości oraz z podstawową fizjologią relacji mózg – umysł – świadomość.

Hemi-sync za pomocą specjalnie opracowanych zestawów stereofonicznych nagrań dźwiękowych (o nieznacznie odmiennych częstotliwościach dla każdego z kanałów) wywołuje synchronizację fal mózgowych. Na skutek ich oddziaływania w mózgu powstaje pulsujący sygnał – dudnienia różnicowe – o częstotliwości stanowiącej różnicę między częstotliwościami sygnału wyjściowego. W pniu mózgu znajduje się bardzo precyzyjny układ umożliwiający przestrzenną lokalizację źródeł dźwięku, dlatego powstałe w ten sposób pulsujące rytmy wpływają na przyległą pobudzają część układu siatkowatego, która dostarcza stałych impulsów synchronizujących do wzgórza i kory mózgowej, wpływając na funkcjonowanie świadomości. Sygnały te powodują synchronizację fal mózgowych w zakresie od 1 do 25 Hz (lub cykli na sekundę), w tym w kluczowym zakresie poniżej progu słyszalności (20 Hz). Rozróżniamy w nim fale delta (<4 Hz, zwykle występujące w głębokim śnie bez marzeń), theta (4–7 Hz, występujące podczas głębokiej medytacji, relaksacji oraz w fazie snu poza REM) oraz alfa (7–13 Hz, charakterystyczne dla fazy REM lub snu z marzeniami sennymi, senności na granicy snu i po przebudzeniu).

Uważam, że dzięki hemi-sync można wyłączyć filtrującą funkcję mózgu fizycznego poprzez globalną synchronizację aktywności elektrycznej w obrębie kory nowej do oswobodzenia pozacielesnej świadomości (w moim wypadku po raz pierwszy dokonała tego choroba). Metoda hemi-sync umożliwiła mi powrót do krainy podobnej do tej, którą odwiedziłem, będąc w śpiączce, lecz bez konieczności zapadnięcia na śmiertelną chorobę. Lecz podobnie jak w moich snach o lataniu z dzieciństwa, proces ten polega raczej na tym, by pozwolić unieść się w podróż. Jeżeli próbuję ją wymusić, myślę o niej zbyt intensywnie lub za bardzo mi na niej zależy, opisywana tu metoda nie działa.

Użycie słowa „wszechwiedza" wydaje się nieodpowiednie, ponieważ moc stwórcza, jakiej byłem świadkiem, wymyka się wszelkim próbom opisu. Zorientowałem się, że obowiązujący w niektórych religiach zakaz nadawania imienia Bogu i portretowania jego proroków naprawdę ma intuicyjne uzasadnienie, gdyż rzeczywistość Boga wykracza poza wszelkie ludzkie próby ujęcia jej w słowa lub przedstawienia za pomocą obrazów podczas naszego pobytu na ziemi.

Moja świadomość istniała indywidualnie, lecz jednocześnie była całkowicie zjednoczona z wszechświatem, podobnie granice tego, co uznawałem za swoje ja, niekiedy kurczyły się, a kiedy indziej rozszerzały, obejmując wszystko, co istnieje od wieków. Czasem granice między moją świadomością a krainą mnie otaczającą zamazywały się do tego stopnia, że stawałem się całym wszechświatem. Innymi słowy, na chwilę odczuwałem tożsamość z wszechświatem, który przez cały czas tam był, niestety, wcześniej nie mogłem go dostrzec.

Chcąc wyjaśnić działanie mojej świadomości na tym najgłębszym poziomie, często posługuję się analogią do kurzego jajka. Gdy dotarłem do Jądra, gdy połączyłem się w jedno z Kulą światła, ze wszystkimi wyższymi wymiarami wszechświata w wieczności i zbliżyłem się do Boga, wyczułem bardzo dobitnie, że twórczy, pierwotny pierwiastek boski (moc sprawcza) pełnił funkcję skorupy chroniącej zawartość jajka. W ten sposób pierwiastek boski jednocześnie pozostawał powiązany ze świadomością stworzenia (podobnie jak nasza świadomość stanowi bezpośrednie przedłużenie Istoty Boskiej) i wymykał się próbom utożsamienia go ze stworzeniem. Nawet wtedy, gdy moja świadomość zlała się w jedno ze wszystkim i z całą wiecznością, wyczułem, że nie mogę całkowicie zjednoczyć się z twórczym sprawcą wszystkiego, co istnieje. U podstawy najbardziej nieskończonej jedności nadal istniała zasadnicza dwoistość. Nie mogę jednak wykluczyć, że tego rodzaju pozorna dwoistość jest po prostu wynikiem moich nieudolnych prób przeniesienia sposobu działania świadomości na ziemię.

Nigdy bezpośrednio nie słyszałem głosu ani nie widziałem twarzy Oma. Zupełnie jakby zwracał się do mnie za pośrednictwem myśli. Przypominały one ogromne fale, które przetaczały się przeze mnie, kołysały wszystkim wokół, pokazując, że istnieje głębsza struktura istnienia – tkanina, której elementem pozostajemy na zawsze, lecz której istnienia zwykle nie jesteśmy świadomi.

Czy komunikowałem się bezpośrednio z Bogiem? Oczywiście. Przyznaję – słowa, których używam do opisu swoich doznań, brzmią bardzo górnolotnie. Lecz wtedy gdy przebywałem w innym wymiarze, wcale nie miałem takiego wrażenia. Po prostu robiłem to, co może zrobić każda dusza po opuszczeniu ciała, to, co wszyscy możemy zrobić choćby w tej chwili dzięki modlitwie lub głębokiej medytacji.

Bezpośredni kontakt z Bogiem to najbardziej niezwykłe przeżycie, jakie można sobie wyobrazić, lecz jednocześnie najbardziej naturalne ze wszystkich, ponieważ Bóg jest zawsze w nas obecny. Wszechwiedzący, wszechmocny, osobowy – i kochający nas bezwarunkowo. Jesteśmy wszyscy jednością dzięki szczególnemu związkowi z Bogiem.

## 34

# OSTATNI DYLEMAT

*„Muszę być gotów porzucić to,*
*czym jestem, by stać się tym, kim będę".*
Albert Einstein (1879–1955)

Albert Einstein był jednym z moich pierwszych idoli, a zamieszczony powyżej cytat zawsze zaliczał się do moich ulubionych. Dopiero teraz zrozumiałem jednak, co faktycznie znaczą te słowa. Za każdym razem, gdy opowiadałem o swoich przeżyciach kolegom naukowcom, moje słowa brzmiały jak rojenia szaleńca. Widziałem to po ich szklanym wzroku lub po zaniepokojonym wyrazie twarzy. Mimo to wiedziałem, iż opowiadam o czymś, co opiera się na bezdyskusyjnych podstawach naukowych. Pobyt w innym wymiarze istnienia otworzył mi drzwi do zupełnie nowego świata – zupełnie nowego wszechświata – naukowego zrozumienia. Powtarzałem im, że to właśnie świadomość powinna zajmować honorowe miejsce najważniejszej istoty całego stworzenia.

Nie przeżyłem jednak pewnego wydarzenia dość często spotykanego w relacjach z pogranicza śmierci. Mówiąc precyzyjnie: istniała pewna niewielka grupa doświadczeń, których nie doznałem. Wszystkie miały związek z jednym faktem: gdy znajdowałem się poza ciałem, nie pamiętałem o swojej ziemskiej tożsamości.

Chociaż nie ma dwóch identycznych przeżyć z pogranicza śmierci, dość wcześnie odkryłem w literaturze typowe ich aspekty, powtarzające się w bardzo wielu relacjach. Jeden z nich dotyczy spotkań ze zmarłymi członkami rodzin lub znajomymi. Ja nikogo takiego nie spotkałem. Nie przeszkadzało mi to, bo jak wcześniej wspomniałem, niepamięć o ziemskiej tożsamości pozwoliła mi zapuścić się dalej „w zaświaty" niż wielu innym. Na pewno nie miałem się na co uskarżać. Przeszkadzało mi tylko jedno: bardzo chciałem spotkać po drugiej stronie mojego ojca, który umarł cztery lata przed moim zapadnięciem w śpiączkę. Był świadkiem moich „straconych lat", wiedział, jak bardzo się starałem mu dorównać, wiedział, że moim zdaniem nie bardzo mi się to udawało – dlaczego więc nie przyszedł, żeby mi powiedzieć, że wszystko w porządku? Osoby spotykane na tamtym świecie najczęściej dodawały otuchy tym, którzy chwilowo gościli na pograniczu. Bardzo pragnąłem takiej pociechy, niestety jej nie otrzymałem.

Skłamałbym jednak, gdybym twierdził, że w ogóle nie otrzymałem żadnych słów pokrzepienia. Przekazała mi je przecież Dziewczyna na Skrzydle Motyla. Z wyglądu przypominała raczej cudownego anioła, jednak nie miałem pojęcia, kim była. Spotykając ją za każdym razem, gdy podróżowałem po idyllicznej dolinie na skrzydle motyla, doskonale zapamiętałem jej twarz. Wiedziałem, że z pewnością nie poznaliśmy się podczas mojego życia na ziemi. Dla innych ludzi spotkanie ze zmarłym krewnym lub przyjacielem stanowiło najważniejszy argument przemawiający za prawdziwością ich doznań.

Mimo że starałem się zignorować ten fakt, stopniowo zacząłem powątpiewać w wymowę swoich przeżyć. Nie, nie zwątpiłem w ich prawdziwość. To było niemożliwe, prędzej zwątpiłbym w moje małżeństwo z Holley lub w to, że kocham swoich synów. Lecz to, że odwiedziłem zaświaty, nie spotykając ojca, i podróżowałem na skrzydle motyla w towarzystwie pięknej nieznajomej, wciąż mi doskwierało. Czy ze względu na bardzo emocjonalne związki z rodziną oraz spowodowane adopcją poczucie braku własnej wartości tak ogromnie ważnej wiadomości – że jestem kochany, że nikt mnie nie odrzuca – nie mógł przekazać mi ktoś, kogo znałem? Na przykład ktoś taki jak... mój ojciec?

Faktycznie gdzieś w głębi duszy przez całe życie czułem się odrzucony, i to mimo ogromnych wysiłków mojej przybranej rodziny, by zabliźnić to uczucie miłością. Ojciec często powtarzał mi, żebym nie przejmował się zbytnio niczym, co się zdarzyło, zanim wraz z mamą odebrał mnie z domu dziecka.

– I tak niczego sobie nie przypomnisz. Byłeś zbyt mały – mówił.

I tu się mylił. Moje przeżycie z pogranicza śmierci przekonało mnie, że istnieje utajona część naszej osobowości, która rejestruje każdy, nawet najdrobniejszy aspekt naszego ziemskiego życia, a proces „nagrywania" trwa od samego początku. Tak więc na prekognitywnym, przedwerbalnym poziomie przez całe życie wiedziałem, iż zostałem oddany do adopcji, i na równie głębokim poziomie nadal borykałem się z tym faktem.

Dopóki ta kwestia pozostawała otwarta, w mojej głowie rozbrzmiewał lekceważący głos, który powtarzał mi uporczywie, a nawet z pewną satysfakcją, że mimo bogactwa moich przeżyć w innym wymiarze coś było z nimi „nie tak". W gruncie rzeczy jakaś część mnie nadal wątpiła w autentyczność tych doznań, a więc również w realność krainy ducha. Z naukowego punktu widzenia wciąż pozostawały one niezrozumiałe. Cichy, lecz uparty głos zwątpienia zaczął zagrażać nowemu światopoglądowi, który z takim trudem konstruowałem.

Następnego ranka leżałem w sypialni, czytając książkę Elisabeth Kübler-Ross *On Life after Death*. Dotarłem do opowieści o dwunastoletniej dziewczynce, która przeżyła doświadczenie z pogranicza, lecz początkowo ani słowem nie wspomniała o nim rodzicom. Po jakimś czasie nie mogła wytrzymać i zwierzyła się ojcu. Opowiedziała mu o podróży do niewiarygodnie pięknej, pełnej miłości krainy, w której rozmawiała ze swoim bratem.

– Tylko że ja – dodała na koniec dziewczynka – przecież nie mam brata.

Ojcu napłynęły do oczu łzy. Wyjaśnił córce, że miała brata, który zmarł zaledwie trzy miesiące przed jej urodzeniem.

Przerwałem czytanie. Na chwilę znalazłem się w tej dziwnej, graniczącej z olśnieniem przestrzeni, w której proces myślenia na pozór ustaje... ale umysł człowieka nadal pracuje. Coś pojawiło się na skraju mojej świadomości, lecz nie bardzo wiedziałem, co to takiego.

Mój wzrok powędrował ku komodzie i zatrzymał się na zdjęciu przysłanym przez Kathy. Na zdjęciu siostry, której nie dane mi było spotkać. Znałem ją tylko z opowieści mojej biologicznej rodziny jako niesamowicie serdeczną, życzliwą i troskliwą osobę. Osobę, której dobroć – jak często powtarzano – można było porównać tylko z anielską.

Z początku nie mogłem jej rozpoznać. Bez sukni w kolorach jasnoniebieskim i indygo, bez poświaty Tunelu, bez skrzydła motyla. Nic dziwnego. Podczas podróży widziałem tylko jej niebiańskie ja – to, które istniało poza ziemskim królestwem ze wszystkimi jego problemami i nieszczęściami.

Nie było mowy o pomyłce. Nie mogłem nie poznać jej pełnego miłości uśmiechu, pewnego siebie i nieskończenie kojącego spojrzenia skrzących się niebieskich oczu.

To była ona.

Na chwilę spotkały się dwa światy. Mój świat tutaj, na ziemi, gdzie byłem lekarzem, mężem i ojcem, z innym światem – tak ogromnym, że wędrując przez niego, można stracić poczucie własnej ziemskiej tożsamości, stać się częścią kosmosu, mrokiem przepojonym Bogiem i miłością.

Na moment w sypialni naszego domu w deszczowy wtorkowy poranek zetknęły się oba światy – materialny i duchowy. Wpatrując się w fotografię, poczułem się trochę jak chłopiec z bajki, który odbywa podróż w zaświaty. Po powrocie wydaje mu się, że wszystko było tylko snem, lecz nagle sięga do kieszeni i znajduje tam skrzącą się garść magicznej ziemi z dalekiej krainy.

Chociaż starałem się do tego nie przyznawać, w moim wnętrzu toczyła się zażarta walka. Walka między częścią mojego umysłu, który przebywał poza ciałem, i lekarzem – uzdrowicielem, który ślubował wierność nauce. Patrzyłem na twarz siostry, mojego anioła, i wiedziałem – wiedziałem ponad wszelką wątpliwość – że dwie osoby, którymi byłem w ciągu ostatnich kilku miesięcy od powrotu, naprawdę są jednym i tym samym człowiekiem. Musiałem znów podjąć wcześniejsze role lekarza, naukowca i uzdrowiciela, lecz teraz jako ktoś, kto odbył bardzo nieprawdopodobną, bardzo realną i bardzo ważną podróż do samej Istoty Boskiej. Nie chodziło tu o mnie, lecz o niesamowicie sugestywne szczegóły. Podróż do innego wymiaru uleczyła moją rozdartą duszę. Dowiedziałem się, że zawsze mnie kochano oraz że absolutnie wszystkie byty we wszechświecie również są otoczone miłością. A podróż tę odbyłem wtedy, gdy moje ciało znalazło się w stanie, który zdaniem współczesnej medycyny powinien był uniemożliwić mi przeżywanie czegokolwiek.

Wiem, że znajdą się ludzie, którzy zakwestionują moje świadectwo, i wielu takich, którzy z miejsca je odrzucą, gdyż nie wierzą w nic, czego nie da się „naukowo" udowodnić. Ich zdaniem, przeżyłem po prostu szalony, rozgorączkowany sen.

Ale ja wiem lepiej. Ze względu na tych, którzy żyją tu, na ziemi, oraz tych, których spotkałem w innym wymiarze, uważam za swój obowiązek – jako naukowca, a więc poszukiwacza prawdy, i lekarza, który poświęcił życie niesieniu pomocy ludziom – powiedzieć możliwie największej liczbie ludzi, że to, co przeszedłem, jest prawdziwe, realne i bardzo ważne. Nie tylko dla mnie, lecz także dla nas wszystkich.

Podczas podróży odkryłem nie tylko miłość, lecz także to, kim jesteśmy, oraz nasze wzajemne powiązania – sedno wszelkiego istnienia. Właśnie tam dowiedziałem się, kim jestem, a kiedy wróciłem, odkryłem, że ostatnie rozerwane tu, na ziemi, włókna mojej tożsamości zostały naprawione.

„Kochamy cię". Tych słów brakowało mi jako sierocie, jako dziecku oddanemu do adopcji. Tych samych słów potrzebujemy wszyscy w tym materialistycznym wieku, ponieważ nie wiedząc, kim naprawdę jesteśmy, skąd naprawdę pochodzimy i dokąd naprawdę zmierzamy, wszyscy (niesłusznie) czujemy się jak sieroty. Jeżeli nie odzyskamy świadomości naszych powiązań z wyższymi wymiarami i bezwarunkowej miłości naszego Stwórcy, na ziemi zawsze będziemy się czuć zagubieni.

To wciąż ja, Eben Alexander. Nadal jestem naukowcem i lekarzem, na którym ciążą dwa zasadnicze obowiązki: oddać sprawiedliwość prawdzie i nieść pomoc innym. Dlatego muszę opowiedzieć swoją historię. W miarę upływu czasu narasta we mnie przekonanie, że to, co się stało, nie stało się bez przyczyny. Nie dlatego, że jestem kimś szczególnym, lecz dlatego, że w moim wypadku jednocześnie wystąpiły dwa wydarzenia, łącznie zadające kłam ostatnim wysiłkom redukcjonizmu naukowego, którego przedstawiciele usiłują wmówić wszystkim, iż świat materii jest jedynym, jaki istnieje, oraz że świadomość lub duch – twój i mój – wcale nie stanowi wielkiej, najważniejszej tajemnicy wszechświata.

Jestem tego żywym dowodem.

# ETERNEA

Przeżycia z pogranicza śmierci zainspirowały mnie do podjęcia próby naprawy naszego świata. Pragnę, by wszyscy czuli się w nim coraz lepiej. Środkiem, który, mam nadzieję, pozwoli mi osiągnąć tę zasadniczą zmianę jakościową, jest Eternea, nienastawiona na zysk, wspierana ze środków publicznych organizacja dobroczynna, którą założyłem wraz z moim przyjacielem Johnem R. Audettem. Dzięki Eternei możemy służyć wyższemu dobru, pomagając kształtować możliwie najlepszą przyszłość dla ziemi i dla jej mieszkańców.

Misja Eternei obejmuje wspieranie programów badawczych, edukacyjnych oraz stosowanych w dziedzinie przeżyć prowadzących do przemiany duchowej, jak również w dziedzinie fizyki świadomości oraz wzajemnych oddziaływań między świadomością i rzeczywistością materialną (na przykład między materią i energią). Nie tylko podejmuje konsekwentne wysiłki zmierzające do praktycznego zastosowania spostrzeżeń dokonanych przez ludzi goszczących na pograniczu śmierci, lecz także pełni funkcję skarbnicy wszelkiego rodzaju przeżyć prowadzących do przemian duchowych.

Zapraszam do odwiedzenia strony internetowej www.eternea.org. Czytelnik może tam uzyskać wskazówki ułatwiające przebudzenie duchowe lub podzielić się osobistymi relacjami o przeżyciach prowadzących do przemiany duchowej (zapraszamy wszystkich opłakujących utratę ukochanej osoby, osoby cierpiące na śmiertelne choroby, a także ich krewnych). Eternea stanowi nieocenioną pomoc naukową dla uczonych, badaczy, teologów, jak również dla przedstawicieli duchowieństwa zainteresowanych tą dyscypliną badawczą.

dr Eben Alexander
Lynchburg, Wirginia
10 lipca 2012

# PODZIĘKOWANIA

Pragnę wyrazić wdzięczność przede wszystkim mojej wspaniałej rodzinie za to, że przetrwała bardzo trudne chwile po moim zapadnięciu w śpiączkę. Holley, mojej żonie od trzydziestu jeden lat, i naszym wspaniałym synom, Ebenowi IV i Bondowi, za odegranie kluczowych ról w przywołaniu mnie z powrotem na ziemię oraz za pomoc w zrozumieniu znaczenia tego, co przeżyłem. Dziękuję reszcie mojej drogiej rodziny i przyjaciołom, w tym moim ukochanym rodzicom Betty i Ebenowi Alexandrom i moim siostrom: Jean, Betsy i Phyllis, które (wraz z Holley, Bondem i Ebenem IV) czuwały przy moim łóżku i trzymały mnie za rękę przez dwadzieścia cztery godziny na dobę, dzięki czemu ani na chwilę nie przestałem odczuwać ich miłości. Betsy i Phyllis odrobiły istną pańszczyznę, towarzysząc mi we dnie i w nocy podczas psychozy po wybudzeniu ze śpiączki (przez kilka dni ani na chwilę nie zmrużyłem oka) oraz podczas pierwszych bardzo niepewnych godzin spędzonych na oddziale neurologicznym. Peggy Daly (siostra Holley) i Sylvia White (przyjaciółka Holley od trzydziestu lat) także uczestniczyły w czuwaniu przy moim łóżku. Bez ich wysiłków mających na celu sprowadzenie mnie z powrotem na ten świat chyba bym nie wrócił. Dayton i Jack Slye musieli radzić sobie bez matki, Phyllis, gdy była ze mną. Holley, Eben IV, Mama i Phyllis pomogli mi także redagować tę książkę i zgłosili swoje uwagi krytyczne.

Mojej zesłanej przez niebiosa biologicznej rodzinie, a zwłaszcza zmarłej siostrze, która również nosiła imię Betsy. Niestety, nie było mi dane jej poznać na tym świecie.

Moim błogosławionym i wspaniałym lekarzom ze szpitala ogólnego w Lynchburgu. Zaliczają się do nich zwłaszcza doktorzy Scott Wade, Robert Brennan, Laura Potter, Michael Milam, Charlie Joseph, Sarah i Tim Hellewell oraz wielu, wielu innych.

Cudownym, nieocenionym pielęgniarkom oraz innym pracownikom szpitala w Lynchburgu. W skład zespołu wchodziły Rhae Newbill, Lisa Flowers, Dana Andrews, Martha Vesterlund, Deanna Tomlin, Valerie Walters, Janice Sonowski, Molly Mannis, Diane Newman, Joanne Robinson, Janet Phillips, Christina Costello, Larry Bowen, Robin Price, Amanda Decoursey, Brooke Reynolds oraz Erica Stalkner. Z wiadomych względów imiona i nazwiska uzyskałem za pośrednictwem mojej rodziny, więc wybaczcie, jeżeli kogoś pominąłem.

Michaelowi Sullivanowi i Susan Reintjes za kluczową rolę odegraną w moim powrocie.

Ogromny wpływ wywarli na mnie John Audette, Raymond Moody, Bill Guggenheim (dzięki za pomoc w redagowaniu książki) i Ken Ring, założyciele społeczności ludzi, którzy przeżyli doświadczenia z pogranicza śmierci.

Liderom ruchu Virgina Consciousness, do którego należą doktor Bruce Greyson, Ed Kelly, Emily Williams Kelly, Jim Tucker, Ross Dunseath oraz Bob Van de Castle.

Mojej nieocenionej agentce Gail Ross i jej wspaniałym współpracownikom Howardowi Yoonowi i innym z Agencji Ross Yoon.

Ptolemy Tompkinsowi za cenne komentarze oparte na znajomości pochodzącej z kilku tysiącleci literatury poświęconej życiu pozagrobowemu oraz za wspaniałe umiejętności redakcyjne i pisarskie, dzięki którym mogłem lepiej opowiedzieć o swoich przeżyciach. Naprawdę oddał im sprawiedliwość, na którą zasługiwały.

Priscilli Painton, wiceprezes i redaktorce wykonawczej, oraz Jonathanowi Karpowi, wiceprezesowi wykonawczemu i wydawcy z oficyny Simon & Schuster, za ich nadzwyczajną wizję i pasję zmiany świata na lepsze.

Marvinowi i Terre Hamlischom, wspaniałym przyjaciołom, których entuzjazm i zainteresowanie pomogły mi przetrwać najtrudniejsze chwile.

Terri Beavers i Margaretcie McIlvaine za wspaniałe powiązanie uzdrawiania z duchowością.

Karen Newell za podzielenie się ze mną wynikami badań w dziedzinie głębokich stanów świadomości i za nauczenie mnie, jak okazywać miłość, a także innym cudotwórcom z Instytutu Monroe w Faber w Wirginii, zwłaszcza

Robertowi Monroe za zajmowanie się tym, co jest, a nie tylko tym, co powinno być, Carol Sabick de la Herran i Karen Malik, które mnie odszukały, oraz Paulowi Rademacherowi i Skipowi Atwaterowi, którzy przyjęli mnie do tej pełnej miłości społeczności w eterycznych wysokogórskich łąkach w środkowej Wirginii. Do tej grupy zaliczają się również Kevin Kossi, Patty Avalon, Penny Holmes, Joe i Nancy „Scooter" McMoneagle, Scott Taylor, Cindy Johnston, Amy Hardie, Loris Adams oraz wszyscy koledzy, którzy byli w Tunelu w Instytucie Monroe w lutym 2011 roku, moi pomocnicy (Charleene Nicely, Rob Sandstrom i Andrea Berger), a także współuczestnicy programu Lifeline (w tym prowadzący: Franceen King i Joe Gallenberger) w lipcu 2011 roku.

Na podziękowania zasługują również moi dobrzy przyjaciele i krytycy – Jay Gainsboro, Judson Newbern, doktor Allan Hamilton i Kitch Carter, który czytał pierwsze wersje tego rękopisu i dostrzegł moją frustrację, gdy nie potrafiłem pogodzić swoich przeżyć z neurobiologią. Judson i Allan odegrali ogromną rolę w uświadomieniu mi prawdziwej mocy mojego przeżycia z punktu widzenia naukowca sceptyka, podobnie jak Jay z punktu widzenia naukowca mistyka.

Współbadacze głębokiej świadomości i Jedności, w tym Elke Siller Macartney i Jim Macartney.

Osoby, które podobnie jak ja przeżyły doświadczenia z pogranicza śmierci: Andrea Curewitz za wspaniałe rady redakcyjne i Carolyn Tyler za pełną współczucia pomoc w zrozumieniu tego, co przeżyłem.

Blitz i Heidi James, Susan Carrington, Mary Horner, Mimi Sykes i Nancy Clark, których odwaga i wiara w obliczu bolesnych przeżyć pomogły mi docenić mój dar.

Współtowarzysze podróży – Janet Sussman, Marta Harbison, Shobhan (Rick) i Danna Faulds, Sandra Glickman i Sharif Abdullah – w gronie których dnia 11.11.11 dzieliliśmy się siedmioma optymistycznymi wizjami wspaniałej, świadomej przyszłości dla całej ludzkości.

Do licznego grona osób, którym również jestem winien słowa podziękowania, zaliczają się przyjaciele, których działania, życzliwa obecność i słowa otuchy pomogły mojej rodzinie przetrwać najtrudniejsze chwile oraz umożliwiły mi opowiedzenie tej historii. Są to Judy i Dickie Stowers, Susan Carrington, Jackie i doktor Ron Hill, doktorzy Mac McCrary i George Hurt, Joanna i doktor Walter Beverly, Catherine i Wesley Robinson, Bill i Patty Wilson, DeWitt i Jeff Kierstead, Toby Beavers, Mike i Linda Milam, Heidi Baldwin, Mary Brockman, Karen i George Lupton, Norm i Paige Darden, Geisel i Kevin Nye, Joe i Betty Mullen, Buster i Lynn Walker, Susan Whitehead, Jeff Horsley, Clara Bell, Courtney i Johnny Alford, Gilson i Dodge Lincoln, Liz Smith, Sophia Cody, Lone Jensen, Suzanne i Steve Johnson, Copey Hanes, Bob i Stephanie Sullivan, Diane i Todd Vie, Colby Proffitt, rodziny Taylorów, Reamsów, Tatomów, Heppnerów, Sullivanów, Moore'ów i wielu innych.

Moja wdzięczność, zwłaszcza wobec Boga, nie ma granic.

# ZAŁĄCZNIK A

# OPINIA DOKTORA SCOTTA WADE'A

Jako specjalistę w dziedzinie chorób zakaźnych poproszono mnie o konsultację w sprawie pacjenta doktora Ebena Alexandra, którego przywieziono do szpitala ogólnego w Lynchburgu 10 listopada 2008 roku. Stwierdzono u niego bakteryjne zapalenie opon mózgowo-rdzeniowych. Choroba rozpoczęła się od objawów przypominających grypę, silnego bólu pleców i głowy. Przewieziono go na izbę przyjęć, gdzie wykonano badanie głowy tomografią komputerową, a następnie nakłucie lędźwiowe. Analiza płynu mózgowo-rdzeniowego wykazała obecność zakażenia drobnoustrojami Gram-ujemnymi. Natychmiast rozpoczęto dożylne podawanie odpowiednich antybiotyków oraz podłączono pacjenta do respiratora ze względu na jego krytyczny stan i śpiączkę. Po upływie doby zidentyfikowano organizmy Gram-ujemne obecne w płynie mózgowo-rdzeniowym jako pałeczkę okrężnicy (*E. coli*). Zakażenie tego rodzaju występuje najczęściej u niemowląt, a u osób dorosłych zdarza się bardzo rzadko (roczna zapadalność w USA to poniżej jednego przypadku na dziesięć milionów), zwłaszcza w przypadku niestwierdzenia w wywiadzie urazów głowy, przebytych zabiegów neurochirurgicznych oraz innych schorzeń, takich jak cukrzyca. Przed hospitalizacją doktor Alexander nie uskarżał się na żadne dolegliwości.

Współczynnik umieralności u dzieci i u osób dorosłych chorych na zapalenie opon mózgowo-rdzeniowych wywołane przez drobnoustroje Gram-ujemne waha się w przedziale od 40 do 80 procent. W chwili przybycia doktora Alexandra do szpitala stwierdzono u niego napady padaczkowe oraz znacznie zmieniony stan umysłu. Obydwa stanowią znane czynniki ryzyka wystąpienia powikłań neurologicznych oraz zgonu (śmiertelność ponad 90 procent). Mimo szybko wdrożonej agresywnej antybiotykoterapii przeciwko pałeczce okrężnicy, jak również nieprzerwanego leczenia na oddziale intensywnej terapii pacjent przebywał w śpiączce przez sześć dni. Z każdym dniem malały szanse i nadzieje na jego szybki powrót do zdrowia (śmiertelność ponad 97 procent). Siódmego dnia zdarzyło się coś niebywałego. Doktor Alexander otworzył oczy, odzyskał świadomość i szybko odłączono go od respiratora. Fakt, że w pełni odzyskał zdrowie po tak poważnej chorobie oraz po przebywaniu w śpiączce przez prawie tydzień, uznaję za niezwykły.

dr Scott Wade

## ZAŁĄCZNIK B

# HIPOTEZY NEUROBIOLOGICZNE, ZA POMOCĄ KTÓRYCH PRÓBOWAŁEM WYJAŚNIĆ SWOJE PRZEŻYCIA

Wraz z gronem neurochirurgów i naukowców reprezentujących inne specjalności przeanalizowałem kilka hipotez, które mogłyby rzucić chociaż trochę światła na genezę moich wspomnień. Uprzedzając fakty, żadna z nich nie zdołała wyjaśnić bogatego, barwnego i niezwykle skomplikowanego charakteru ultrarzeczywistych, interaktywnych przeżyć w Tunelu i Jądrze.

1. Pierwotny program realizowany przez pień mózgu, który ma za zadanie złagodzić terminalny ból i cierpienie (argument ewolucyjny, przypuszczalnie pozostałość „udawanej śmierci", strategii wykorzystywanej przez ssaki niższe). Nie wyjaśnia jednak barwności i poziomu złożoności wspomnień.

2. Zaburzenia procesu przywoływania wspomnień z głębszych części układu limbicznego (na przykład z zespołu jąder bocznych ciała migdałowatego), wystarczająco chronionego przez leżące nad nim warstwy przed zapaleniem opon mózgowo-rdzeniowych, które atakuje głównie powierzchniową część mózgu. Nie wyjaśnia jednak barwności ani poziomu złożoności wspomnień.

3. Zaburzenia działania neuronów spowodowane przez endogenny glutaminian, który wywołał ekscytotoksyczność o działaniu dysocjacyjnym podobnym do ketaminy – halucynogennego środka znieczulającego (za pomocą tej hipotezy próbuje się niekiedy wyjaśniać wszystkie przeżycia z pogranicza śmierci). Na początku drogi zawodowej jako neurochirurg na wydziale medycyny Uniwersytetu Harvarda poznałem skutki działania ketaminy używanej do tego celu. Wywoływane przez nią halucynacje były bardzo chaotyczne i nieprzyjemne, lecz nie nosiły ani śladu podobieństwa do żadnego z moich doznań podczas śpiączki.

4. Wyrzut N,N-dimetylotryptaminy (DMT) (przez szyszynkę lub inne miejsca w mózgu). DMT, występujący między innymi w organizmie człowieka agonista serotoniny (zwłaszcza przy receptorach 5-HT1A, 5-HT2A i 5-HT2C), wywołuje żywe halucynacje oraz stany przypominające marzenia senne. Poznałem działanie agonistów i antagonistów serotoniny (to znaczy LSD, meskaliny), gdy byłem

nastolatkiem. Nie miałem żadnych osobistych doświadczeń z DMT, lecz widywałem pacjentów znajdujących się pod wpływem tego związku. Jednak bogaty obraz ultrarzeczywistości wymagał w miarę nienaruszonej słuchowej i wzrokowej części kory nowej, na którą związek ten mógłby oddziaływać, wytwarzając tak bogate doświadczenia audiowizualne, jakich doznałem w śpiączce. Długotrwała śpiączka wywołana bakteryjnym zapaleniem opon mózgowo-rdzeniowych doprowadziła do poważnych uszkodzeń mojej kory nowej, czyli miejsca, w którym serotonina wytwarzana w jądrach szwu zlokalizowanych w pniu mózgu (lub DMT, agonista serotoniny) mogła wywołać zjawiska wzrokowe i słuchowe. Lecz moja kora nie działała, więc DMT nie miała na co oddziaływać. Hipoteza ta zawodzi ze względu na ultrarzeczywistość zapamiętanych przeze mnie bodźców audiowizualnych oraz niedziałającą korę nową.

5. Odizolowane zachowanie pewnych części kory mogło tłumaczyć część moich doświadczeń, lecz należy to uznać za bardzo nieprawdopodobne ze względu na ciężki przebieg stanu zapalnego i jego oporność na terapię trwającą przez cały tydzień. Oto garść wyników moich badań laboratoryjnych: liczba leukocytów (krwinek białych) we krwi obwodowej ponad 27 000 na $mm^3$, w rozmazie 31 procent granulocytów (granulacji toksycznych), liczba leukocytów w płynie mózgowo-rdzeniowym ponad 4300 na $mm^3$, poziom glukozy w płynie mózgowo-rdzeniowym poniżej 1,0 mg/dl, poziom białek w płynie mózgowo-rdzeniowym

1340 mg/dl, rozproszenie procesu zapalnego ze współistniejącymi zaburzeniami funkcjonowania mózgu ujawnionymi podczas badania mózgu tomografią komputerową z kontrastem oraz wyniki badań neurologicznych wskazujące na poważne zmiany czynnościowe kory mózgowej oraz zaburzenia koordynacji ruchowej gałek ocznych wskazujące na uszkodzenie pnia mózgu.

6. Próbując wyjaśnić „ultrarzeczywistość" mojego przeżycia, zbadałem następującą hipotezę: czy to możliwe, że moja choroba oddziaływała głównie na sieci neuronów hamujących, co umożliwiło nienaturalny wzrost aktywności sieci neuronów pobudzających i doprowadziło do powstania tego rodzaju niezwykle barwnych obrazów? Można oczekiwać, że zapalenie opon mózgowo-rdzeniowych preferencyjnie obejmuje korę powierzchowną, nie zakłócając funkcjonowania warstw głębszych. Jednostką funkcjonalną kory nowej jest sześciowarstwowa kolumna korowa, każda o średnicy 0,2–0,3 mm. Kolumny przyległe współdzielą ze sobą znaczny odsetek neuronów, co oznacza, że kilka z nich odbiera sygnały modulujące powstające przeważnie w okolicach podkorowych (we wzgórzu, w jądrach podstawnych i w pniu mózgu). Każda kolumna korowa (funkcjonalna) ma komponent powierzchniowy (warstwy 1–3), więc zapalenie opon mózgowo-rdzeniowych skutecznie zaburza czynność każdej kolumny, uszkadzając tylko warstwę powierzchniową kory. Anatomiczny układ komórek hamujących i pobudzających, które charakteryzują się dość równomiernym

rozkładem w tych sześciu warstwach, przemawia przeciwko tej hipotezie. Rozproszony stan zapalny po powierzchni mózgu skutecznie unieczynnia całą korę nową ze względu na jej budowę kolumnową. Innymi słowy, do wystąpienia całkowitych zaburzeń czynnościowych nie musi ona zostać całkowicie zniszczona. Ze względu na długotrwałość zaniku czynności układu nerwowego (siedem dni) i ciężkość zakażenia jest nieprawdopodobne, by nawet głębsze warstwy kory działały.

7. Wzgórze, jądra podstawne i pień mózgu zaliczają się do struktur głębszych mózgu (tak zwane okolice podkorowe). Niektórzy koledzy sugerowali, że to właśnie one mogły być zaangażowane w przetwarzanie tego rodzaju nadrealnych doświadczeń. Żadna z tych struktur nie mogła jednak odgrywać tego rodzaju roli bez funkcjonujących poprawnie przynajmniej niektórych obszarów kory nowej. Wszyscy uznali na koniec, że tego rodzaju struktury podkorowe samodzielnie nie mogły obsłużyć intensywnego przepływu bodźców przez sieci neuronów niezbędne do przetworzenia tak niesamowicie bogatej interaktywnej materii, jaka charakteryzowała moje przeżycia.

8. Zjawisko restartu, czyli nakładanie się przypadkowych, dziwnych, niepowiązanych ze sobą wspomnień na starsze wspomnienia w uszkodzonej korze nowej, które mogłyby wystąpić, gdy wznawiała ona aktywność podczas

odzyskiwania świadomości po długotrwałej chorobie układowej, jak w moim przypadku. Ze względu na skomplikowany charakter moich wspomnień wydaje się to bardzo nieprawdopodobne.

9. Wytwarzanie niezwykłych wspomnień za pośrednictwem pradawnej ścieżki wzrokowej wiodącej przez śródmózgowie często występuje u ptaków, lecz rzadko daje się stwierdzić u ludzi. Jej działanie można wykazać u ludzi cierpiących na ślepotę korową ze względu na uszkodzenie kory w płacie potylicznym. Jednak nie wyjaśnia ona żadnych elementów ultrarzeczywistości, których doświadczyłem, nie wspominając o przeplataniu się bodźców słuchowych ze wzrokowymi.

## SPIS TREŚCI